アマテラスの暗号（上）

この小説における神名、神社、祭祀、宝物、文献、伝承、遺物、遺跡に関する記述は、すべて事実にもとづいている。

アマテラスを祀る伊勢神宮内宮（画像提供:imagenavi）

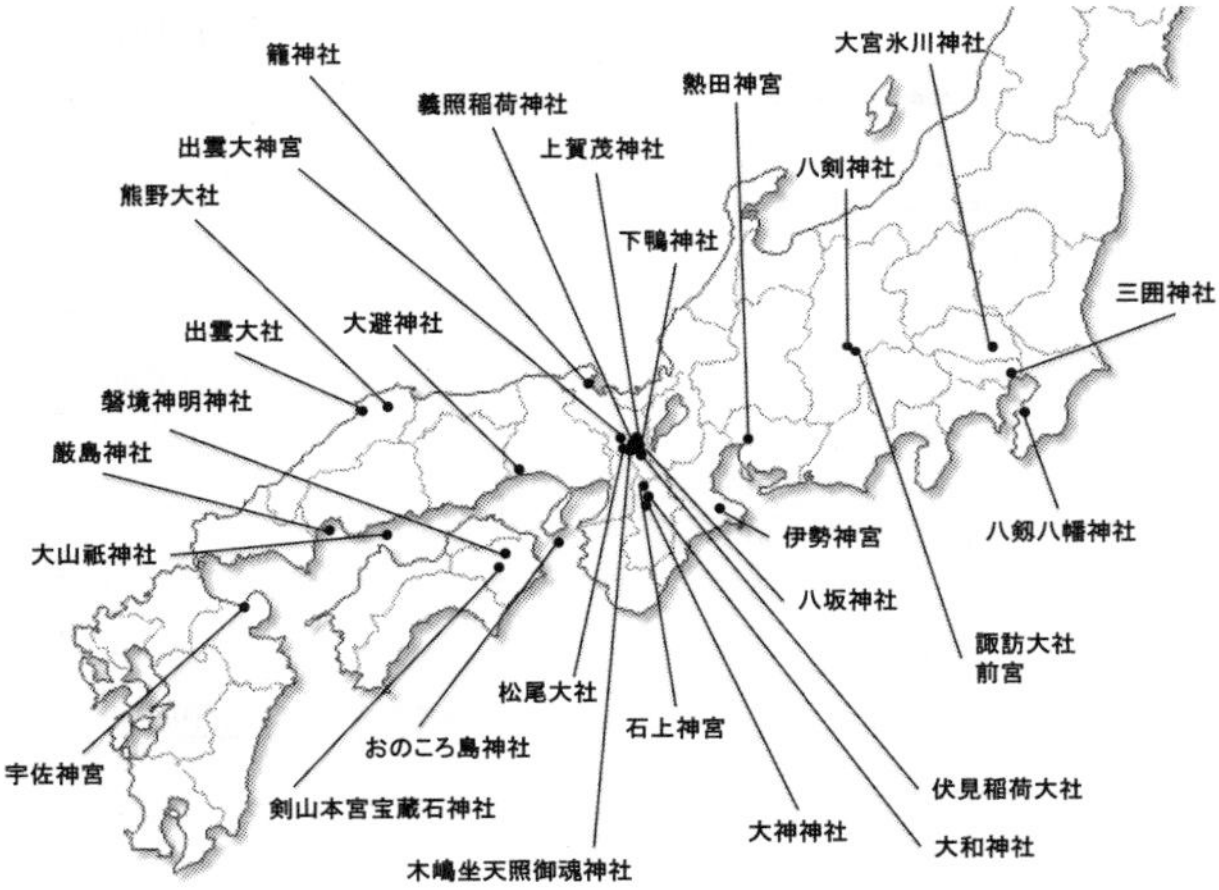
籠神社
義照稲荷神社
上賀茂神社
熱田神宮
大宮氷川神社
出雲大神宮
熊野大社
八剣神社
下鴨神社
三囲神社
出雲大社
大避神社
磐境神明神社
厳島神社
伊勢神宮
八劔八幡神社
大山祇神社
八坂神社
諏訪大社
前宮
松尾大社
石上神宮
おのころ島神社
宇佐神宮
伏見稲荷大社
剣山本宮宝蔵石神社
大神神社
大和神社
木嶋坐天照御魂神社

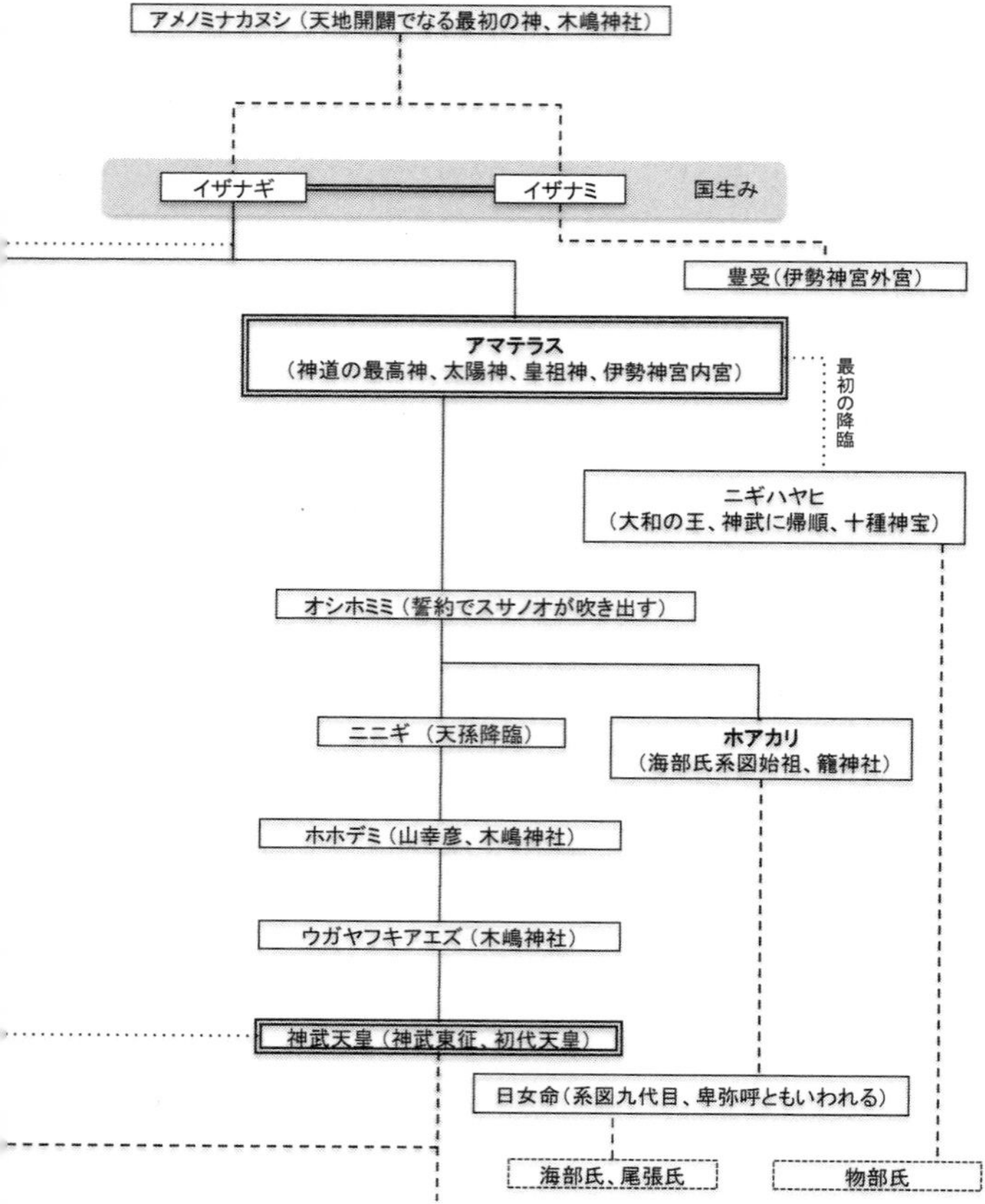
アメノミナカヌシ（天地開闢でなる最初の神、木嶋神社）
イザナギ
イザナミ
国生み
豊受（伊勢神宮外宮）
アマテラス
（神道の最高神、太陽神、皇祖神、伊勢神宮内宮）
最初の降臨
ニギハヤヒ
（大和の王、神武に帰順、十種神宝）
オシホミミ（誓約でスサノオが吹き出す）
ニニギ（天孫降臨）
ホアカリ
（海部氏系図始祖、籠神社）
ホホデミ（山幸彦、木嶋神社）
ウガヤフキアエズ（木嶋神社）
神武天皇（神武東征、初代天皇）
日女命（系図九代目、卑弥呼ともいわれる）
海部氏、尾張氏
物部氏

日本の神々等の神話上の関係図（略図）

（おもに古事記または日本書紀などに記述された関係図）

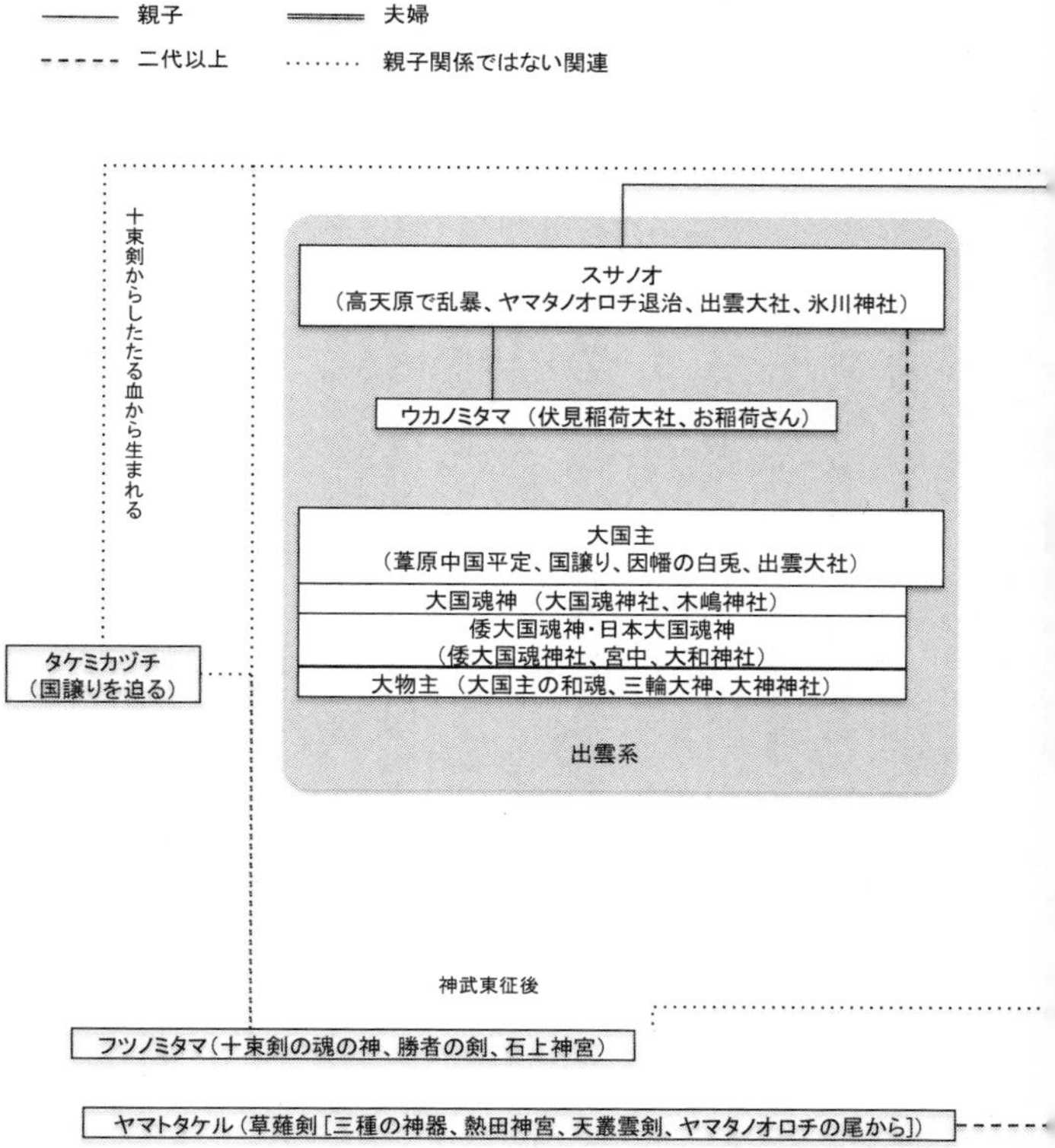

主な登場人物

賢司《ケンシ》・リチャーディー……ゴールドマン・サックス元トレーダー。歴史学専攻
イラージ・カーニ……賢司の元同僚。イラン出身のロケット・サイエンティスト
デービッド・バロン……賢司の元同僚。ロスチャイルド家親戚。ユダヤ系米国人
ウィリアム・王《ワン》……賢司の元同僚。開封出身の中国人。陰謀論者
イエナン・リチャーディー……賢司の母。イタリア系マラノのアメリカ人
海部《あまべ》直彦《なおひこ》……賢司の父。籠神社の第八十二代宮司
度会《わたらい》忠行《ただゆき》……在ニューヨーク日本総領事館員
土岐《とき》大輔《だいすけ》……籠神社神職。海部直彦宮司の付き人
郭《カク》雲雕《ウンチョウ》……中華人民共和国駐日本大使
周江《シュウコウ》……中華人民共和国駐大阪総領事
小橋《こばし》直樹《なおき》……下鴨神社神職。小橋道久宮司の養子
ヴォルター……諜報員

アブラハム・ヘルマン ……… イスラエル機関アミシャブ代表
田中《たなか》 清美《きよみ》 ……………… デービッド・バロンの元婚約者。伊勢神宮の元巫女
兼平《かねひら》 正人《まさと》 ……………… 第七十八代諏訪大社宮司。賢司の父の友人
宗村《むねむら》 暁明《あきはる》 ……………… 元下鴨神社神職。小橋直樹と同期
赤猫……………………………… 諜報員
ラビ・ヨセフ・コーヘン…… 日本ユダヤ教団(シナゴーグ)のラビ。神道研究家
ナオミ・コーヘン ………… ユダヤ人の神道研究家。ラビ・ヨセフ・コーヘンの娘
デーブ・ヘラー氏 ………… 元駐日イスラエル大使。神道研究家
マーク・シルファン ……… モサド諜報員

登場人物はすべて架空の人物であり、たとえ名が似ていても実在の人物とは関係ありません。

プロローグ

暗雲がちぎれ、漆黒の空に予兆のような星がひとつ輝いた。大都会、東京を、にわかに緊迫感が覆う。おごそかな空気に包まれた神域の明かりはすでに落とされ、ただ、静寂がしんと張り詰めている。

凛《りん》とした秋夜だった――。

ふと、一陣の小夜風《さよかぜ》が吹き去っていった。

すると突然、緊張が頂点に達した。琥珀《こはく》色に瞬く灯火のなか、純白の御斎服《おさいふく》を纏《まと》った天皇がその姿を現したのだ。平成二年十一月二十二日亥一刻《いいっこく》。いま、日本の第百二十五代天皇、明仁《あきひと》天皇の即位のための最後の宮中祭祀《きゅうちゅうさいし》、日本最古にして最重要の秘儀、大嘗祭《だいじょうさい》が進行しているのである。

斎場となる大嘗宮《だいじょうきゅう》は二日前、皇居内に設置された。造営の五日間の日取り、寸法、方角、材質はすべて天皇家の歴史とともに受け継がれてきた。二千六百余年、少なくとも史書に明示された千三百余年は不変の方法で造立され、不変の方法で壊却《かいきゃく》されてきたのである。

中心となる仮庵《かりいお》は三棟。すべての四辺が東西南北を向き、戸口は南向きに建てられる。北の端には廻立殿《かいりゅうでん》。その正面、敷地のほぼ中央に、斉一の悠紀殿《ゆきでん》と主基殿《すきでん》が正殿《せいでん》として隣り合わせに設営された。

天皇は御廊下《おろうか》に立ち現れるまえ、午後八時ちょうど廻立殿へ渡御《とぎょ》されていた。ここで天《あま》の羽衣《はごろも》と呼ばれる湯《ゆ》カタビラを召し小忌御湯《おみのおゆ》に浴して清められ、爾後《じご》、明衣《きよぎぬ》という名の御斎服に改められていたのである。

悠紀殿に赴く御廊下では天皇のみが歩く路として、膝行《しっこう》する宮内輔《くないのすけ》が直前に蓆《むしろ》を布単《ふたん》の上に展《の》べる。天皇はその上を素足のまま音もなく歩き出した。

前方には古式ゆかしい装束《しょうぞく》に身を包んだ祭祀《さいし》族、中臣氏《なかとみし》や忌部氏《いんべし》などが列をなし、燭《しょく》を手にした主殿官人《とのもりのかんにん》が二人、路を照らしている。後方では直ちに蓆が巻き収められ、天皇の御上《おうえ》を覆い奉る菅蓋《すげがき》を執る侍従《じじゅう》や、白の十二単《じゅうにひとえ》を装った皇后や女性皇族たちが続いた。

それはまるで荘厳な映画の一シーンのようだった。

すべてが滞りなく進行していた。すべての出演者が約束通りに演じていた。あたかも数千年もの間、同じ演技を繰り返してきたかのように。

そして一行は南面西戸の前で足を止めると、天皇は左右三名の侍従とともに葦《あし》の簾《すだれ》をくぐり、本儀が斎行《さいこう》される悠紀殿の中へと吸い込まれていった。

大嘗祭。

それは天皇が即位を果たされたのち、初めてその年の新穀をもって神々を奉斎《ほうさい》する祭祀のことである。

ならば大嘗祭《だいじょうさい》とは、単なる収穫祭ということか?

確かにそういう側面もある。しかしそれはほんの僅かな一面に過ぎない。

宮中祭祀《きゅうちゅうさいし》は数あるが、「大祀《たいし》」の最高の称号をもつのはこの祭りだけである。天皇家の祭祀のなかで最も重要なのがこの大嘗祭なのだ。祭儀《さいぎ》の盛大さ、準備の周到さも他に類がない。天皇が生涯でたった一度だけ行う、一世一代の最重要の盛儀《せいぎ》が大嘗祭なのである。

しかし——。

その本儀は、天皇がたった一人で行う秘中の秘の神事《しんじ》でもある。天皇以外は神職、侍従、女官も参加しない最高の秘事。史書や古典、

「大嘗祭(悠紀殿供饌)の儀」のため、純白の祭服で悠紀殿に向かわれる第百二十五代明仁天皇陛下(写真提供:共同通信社)

宗教関係の書物にさえほとんど情報がない。つまり大嘗祭とは、天皇自らが祈りの祭主として神と一対一で向き合う、異例中の異例の謎の秘祭でもあったのだ。

天皇が入御《じゅぎょ》され楽士《がくし》が奏でる神楽歌《かぐらうた》がきこえてくると、秋の夜はしばしの間、平安絵巻さながらの雅《みやび》な風情に浸っていた。

しかししばらくして最後の残響が秋風に舞いながら闇夜に散り去ると、皇太子がすうっと立ち上がり、悠紀殿に向かって両段再拝《りょうだんさいはい》という特殊な拝礼を厳かに行った——。

再会

♬ And she's buying a stairway to heaven ——

突然、レッド・ツェッペリンの〝天国への階段〟が灰青色の空気を揺り動かした。賢司《ケンシ》はゆっくりと目を覚ました。友人とついさっきまで飲んでいたワインが体中に残っている。こめかみが鈍く疼《うず》き、頭のなかにも薄らと靄《もや》がかかっていた。どう考えても早朝には似合わない旋律である。しかもこんな朝早くから叩《たた》き起こされる理由は、まったく思いつかなかった。一瞬、錯覚した。

僕はゴールドマン・サックスでまだ働いている？

しかし世界中の資本市場から二十四時間追い回されるような生活は、とっくに終わっていた。数年前のリーマン・ショックとともに。自らが率いてきたトレーディングチームが廃されたときに。

じゃ、電話の主は誰だ？

くっついたままの瞼《まぶた》をこすりながら、大儀そうにサイドテーブルのスマートフォンに手を伸ばし、半目でディスプレイを覗《のぞ》いてみる。

案の定、名前ではない。しかも、まったく思い当たらない数字だった。

GOD《ゴッド》！　こんな早くから間違い電話なんかするなよ！

そう吐き捨て電話を放り投げようとした瞬間、ふと思い出した。

もしかして、これ、父からの電話？

四十数年前、両親の離婚とともに別れたきりとなった日本人の父。数日前、何の前触れもなく手紙を受け取った。今日、ここニューヨークのホテルで再会したいと。

正直、迷った。この電話、取るべきか？　それとも、このまま取らずに一生会わないでおくべきか？

父が真面目に生活費を送り続けてくれたおかげで、特に貧しい思いはしなかった。子供の頃好きだったサッカーだって自由にできたし、学生時代から思いの外のめり込んでいった空手はいまでも続く憂さ晴らしだ。

だが、幼い頃よく母にきいたものだ。どうしてお父さんは連絡をくれないのか、と。

そのときの母の弱りきった目つきが、切ない疑問をいつも小さな胸に湧き起こしたことが蘇《よみがえ》る。お父さんは僕を愛していないのではないか？

当然の疑問が湧いてきた。

父はなぜ、いまさら連絡してきたんだろう？

そしてそれは、あっという間に不審に変わった。金の無心にでも来たのだろうか？

そう思ったとき、一度考え直そうと思ったが、どうした弾みか右手の親指が受信ボタンに軽く触れてしまっていた。

あっ、と躊躇《ためら》いと焦りの混じった唸《うな》り声が肺の底から洩《も》れてくる。どうしよう……。

するとき抜けきれない職業病なのか、こんなときいつも心にかけていたトレーディングのある金言が、ぱっと湧き上がってきた。

〝グッド・トレード（いい取引）は、最初からグッド・トレードだ〟

うまくいくトレードとは、往々にして出だしからうまくいくものだという有名な格言である。転じて、何事においても、のっけから悪かったことが途中で好転することは確率としてはさほど高くないので、損切りは早めにした方が得策だというニュアンスでよく使われていた。

最初、父の電話を受けようか悩んだ。しかしボタンは悩まずに押せた。

これはグッド・トレードか？　それともバッド・トレードか？

心の底にわだかまる、激しい怒りの気持ちがまだあったのは事実だ。しかし、今この咄嗟《とっさ》の判断で勝《まさ》ったのは、不意にその陰から頭を擡《もた》げたありのままの好奇心だった。自分の本当の父とは、そもそもどんな人間か。なぜいままで連絡を取らなかったのか。そして、なぜいまさら会いに来たのか——。

意を決し、おそるおそるスマートフォンに耳を当ててみる。

「もしもし、ケンシ・リチャーディーさんですか？」

久々にきく声はどことなく暗い。

「お父さん？」

その言葉を発したとき、忘れかけていた温もりが胸いっぱいに広がってくるような気がした。

だが、一瞬にしてその安らぎは打ち砕かれる。

「いいえ、ケンシさん。私はニューヨーク市警察のジェフ・ウェッカー警部です。悲しいことをお伝えしなければなりませんが、あなたのお父さまのミスター・ナオヒコ・アマベは、昨晩深夜、他殺体で発見されました」

虚を突かれ何のことか判断がつかない。だが、電話の声は間髪をいれずにいった。

「ケンシさん、いますぐニューヨーク市警まで来ていただくことは可能ですか？」


ほんの三十分後、物々しい雰囲気の死体安置所で賢司を迎えたのは、野球選手のように均整のとれた体格の男だった。どことなくポップなメガネの奥で光る茶色い瞳が印象的だったが、ロックンローラーのようなオールバックの髪型はそれ以上だ。

射抜くような目が賢司を睨《にら》みつける。

「ケンシ・リチャーディーさんですね。私はジェフ・ウェッカー警部です。このたびはお気の毒さまです。で、いきなりですみませんが、どうか捜査にご協力くださいませんか」

家族が感情的になる前に終わらせる。そういうことの運び方に慣れているようだった。

「では、まずご遺体を確認していただけますか。一応、お父さまのお付きとして日本から同行してきたという土岐《とき》氏と、日本領事館の度会《わたらい》氏には確認していただきましたが、ご家族の確認が一番かと――」

「しかし私はもう四十年以上父と会っていないので、わかるかどうか……」

そんな賢司の不安顔をよそ目に、ウェッカー警部は奥の部屋へと導いた。

白濁したタイルの部屋は手術室のように窓がなく、ほの暗い蛍光灯がまるで影のような湿っぽい光を落としている。ホルマリンと魚が腐ったような臭気に包まれ、凄惨な死体が一体、冷たい銀鼠《ぎんねず》色のステンレス台の上に置き忘れたように横たわっていた。

「正面から銃で二発。心臓を正確に撃ち抜いていますから、かなりの腕前です。プロの殺し屋かミリタリー・レベルですね」

忍び寄るように台に近寄り死体を覗き込んだ瞬間、賢司は天井を仰いだ。そのままストンと視線を床に落とし、しばらく瞑目《めいもく》する。思い出した――。

真っ白な髪と刻み込まれた深い皺《しわ》でわかりづらかったが、左の耳下の大きな二つのほくろ。胸元から飛び出したハンカチに縫い込まれた、賢司のものと同じ日本的な鶴の刺《し》繍《しゅう》。左手の古く大きな縫い痕。その傷痕を見たとき、突として忘れ去ったはずの光景が蘇った。

風も、風景も、匂いも、恐怖も、優しさも。

いつだったたか、どこだったたか、まだ小さかった頃――。

突然飛び出してきた車から賢司をかばおうと、父はうっかり転倒した。運が悪かったのは、そこに割れたガラス瓶があったことだ。

アッ！　と思ったとき、あたりはもう真っ赤な血の海だった。初めて目撃した恐怖の場景にすくみ上がる賢司。父はパックリ裂けた手には目もくれなかった。

「大丈夫か、賢司？」

賢司は脅《おび》えて声が出てこない。しかしやっとの思いで震える声を絞り出した。

「ううん、でもお父さんの手、僕のせいで――」

すると父は賢司を厚い胸板で抱き上げ、切々と伝えたのだった。

「大丈夫だよ、賢司。お父さんはね、賢司のためにいるんだよ」

小さな心に響いた優しいその言葉は、突然、嘘《うそ》つきが吐いた裏切りの言葉となり、必死の努力の末、忘れ去られた言葉となったはずだった。思いも寄らないかたちで今日、この傷痕を再び見るまでは――。


「父です。耳の下のほくろと、ハンカチ。それに縫い痕。間違いありません。でも、なぜ？」

「やはりそうですか。でもその理由こそ我々がききたいところなんですよ。一緒に来られた土岐氏の話によると、お父さまは日本の古い神社の宮司さんのご家系だそうで」

「ええ、母からそうきいています。とても長い歴史の神社で、父で八十数代目だったかと」

ウェッカー警部の円い目が大きく開いてさらに円くなった。

「八十数代？　一代二十五年としてもざっと二千年ですよ？　キリストが生まれた頃から同じ家系で神社を守っているなんて。まったく歴史の長い国には、我々には想像もつかないことがあるんですね。ところで最後にお父さまにお会いになったのは？」

「もう四十年以上も前です。場所はニューヨークです。父は次男ということで留学していたここアメリカで母と結婚し、私が生まれました。ところが跡継ぎだった長男が夭逝《ようせい》したため、父が跡を継ぐことになったのです。敬虔《けいけん》なキリスト教徒であった母は、神社で宮司の妻として暮らすことをどうしても受け入れられず、やむなく離婚したということです。その後、父も母もそれぞれ再婚して私と父はそれっきりに。私の姓も母のものになりました。現在の本名は、ケンシ・ニコラ・リチャルディです」

説明しながら賢司は、父がしたことはそんなに悪いことではないようにも思えてきた。捨てられた――。その想いだけが、父のことを色眼鏡《いろめがね》で見させていたのかも知れない。

「で、今日お母さまは？」

「いまイタリアに旅行中です。もともとはイタリア出身で親戚が沢山いるんです」

「そうですか。ところで、お父さまが何か人に恨まれるようなことに心当たりはありますか？　特にアメリカで？」

円い目がぎょろりと賢司の目をとらえた。

「いや、まったく。というか、ほとんど記憶にないというのが正確です。でも、いままで付き合っている人はいないと思います。少なくとも、きいたことはありませんが」

「ではお父さまは、なぜ急にケンシさんとの再会を望んでいたんでしょうか？」

賢司はこれにも首を振ってみせた。

「それが私にもさっぱり――。しかし最近になって母からきいたのですが、父は新しい妻との間に子供はいなかったそうです。で、私がまだ小さかったとき、私を神社の跡取りにと母に何回か連絡をしてきたようです。頑《かたく》なに断り続けたそうですが」

眉をひそめたウェッカー警部が軽く頷《うなず》いた。

「犯人はまだ誰だかわかりませんが、間違いなくいえることがいくつかあります。一つは、この事件は殺しのプロかそれに匹敵する腕前を持つ人間の犯行です。そしてさらに重要なのは、犯人は殺害する目的で現場に来た。ホテルの部屋には何かを盗まれた形跡はありませんし、財布のお金もちゃんと入ったままです。カード会社に連絡をしましたが、不正な取引も一切ありません」

ウェッカー警部は鼻から重い嘆息を洩らすと、困り果てた目顔で続ける。

「しかも犯人は、最新型の電子キーを偽造して入ってきた。つまり、背後にはそれなりの組織が必ずあります。ホテルの全出入口のビデオには、犯行時間帯にそれらしき人の出入りはありませんでしたので、恐らくはホテル内に一時的に匿《かくま》われ、その後、客を装った組織の味方と一緒に逃走したのかと――」

「プロの仕業って、一体どういうことでしょうか？」

賢司は瞳に戸惑いの色を滲《にじ》ませた。

「犯人は二発撃っています。人間は二発撃たれることにより、死亡率が格段に上がります。素人《しろうと》であれば一発は撃っても、二発目は焦って撃たないか外れることが多い。しかし犯人は二発とも心臓に命中させています。それに至近距離で撃った弾は二発とも貫通していません。司法解剖はまだこれからですが、殺傷力を高めるために、体内で停弾するソフトポイント弾が使用されたのは間違いないでしょう」

推理小説や映画でしか知らない展開が、自分を巻き込みながら淡々と進んでいくさまに、賢司は言葉を詰まらせていた。

「おまけに犯人はサイレンサーも使っているらしいんですよ」

賢司もサイレンサーがここニューヨークで入手困難なことは知っていた。そもそも国の許可を取るのに半年から一年の時間がかかる。しかもニューヨーク州は、たとえ許可がおりても州全体で所持さえ禁止している十三州のうちの一つだ。

「でも、どうしてサイレンサーだとわかったんですか?」

「実はサイレンサーを使っても、実際はかなりの音が出るんですよ。銃を撃ったときのメカニカルな音はサイレンサーではどうにもなりません。で、時差の関係で今朝まで起きていたお隣の方が、金属音をこの部屋からきいたと証言しているんです。それに薬きょうから判断すると、使用された銃は、恐らくサイレンサーと最も相性がいいベレッタ92。米軍や世界各国の軍が採用していて、とても入手しやすい銃です」

賢司は言葉に窮していた。理路は理解できるが、やはり俄《にわか》には信じがたい。

「宗教家が自分の家から何千マイルも離れた外国で、窃盗目的ではなくプロによって用意周到に命を狙われる——。こんなことは私の警察人生でもまったく初めてのことですね」

賢司には返す言葉がなかった。——じゃあ、一体誰が殺したんだ。

するとウェッカー警部は片眉をつり上げ、ほとんど呆《あき》れ果てたようにいったのだ。

「でもね、ケンシさん。実はこの事件には、もっと不思議なことがあるんですよ——」

歴史のトレーダー

ほんの数年前まで、賢司はいまでも世界最高と確信する投資銀行に勤めていた。

ゴールドマン・サックス。賢司はそこでオプションや先物など、最先端の株式関連のデリバティブをトレーディングする部署の部長だったのである。

デリバティブの価値は高度な金融工学によって算出される。そのためトレーダーは理数系出身者が圧倒的に多い。

そんななかで、賢司の学歴は極めて異色だった。世界史が専門だったのである。ストレージのような抜群の記憶力

ゴールドマン・サックス・タワー（NY）

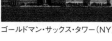

が、人後に落ちない武器だった。

市場予測の手法はまさに百人百様である。経済指標や企業業績以外は鼻にもかけない堅物の学術派がいたかと思うと、彼らを一顧だにしない陽気なチャーティストや傲岸不遜なシステム・トレーダー、挙げ句の果ては何かに魅入られたような占星術の専門家まで——。

しかしその秘奥義が何であれ、誰もが従わなければならないドグマが一つだけある。ほかでもない。完全な将来予測は不可能であるという真実だ。

人間は全知全能の神ではない。そして時間は常に未来に進み、未知に向かっている。理性や知識には、将来を完全には予見できないことから来る構造的な欠陥があるのだ。

賢司は、この欠陥を不可避なものとして意識的に受け入れていた。だから「時代に則した」なんてきいた風なことをまことしやかにいう輩《やから》を、何となく疎んじてきた。人間が、時代どころか明日の株価さえわからないほど非力である事実を、市場から容赦なしに刷り込まれ続けてきたからだ。

しかし歴史の流れを巨視的にみると、人間の行動には起こしやすい傾向や何度も繰り返されてきた過ちのパターンが見えてくる。確実ではないにせよ、その特性は株式市場の予測に応用可能なはずだ。資本主義を否定したマルクスは嫌いだったが、彼の名言「歴史は繰り返す」には一片の真実があると、賢司は信じていたのである。

特に一九九一年にソビエトが崩壊し、翌年中国が社会主義市場経済体制に移行すると、株式市場で一般的だった一～三年程度の企業業績予測ではすっかり力不足となった。それまでの数倍の人口が資本主義経済圏に一挙になだれ込み、成長エンジンとパワーバランスの重心が地殻変動のようにアジアへとシフトすると、従来の手法では近視眼的すぎてまったく歯が立たなくなった――まさに、全世界の変化を歴史のなかのうねりと捉え、数十年、数百年単位で俯瞰《ふかん》する視点が必要となったのである。

賢司のこの思惑は的中した。単なる経済指標よりも、歴史、地政学、国際政治、安全保障、人種、宗教、文化圏などに重点をおいたポートフォリオで大きな収益をあげ、一挙に部長にまで上り詰めたのだ。だから賢司は、リーマン・ショックの煽《あお》りを食らってチーム全員が解雇されたことに、やりきれない思いだった。賢司たちは利益を出していたのに、会社がトレーディング自体を一切辞める決断を下したのであった。

以来、賢司はバカらしくて再び働く気が起こらなかった。お金も十分貯めたことだし、多少退屈な生活もやむなしか――。

しかし、賢司は感じていた。これまで経験してきた世界の歴史的なうねりとは、まだほんの序章に過ぎないことを。本当のうねりはこれから始まることを。

そして、賢司は確信していた。そのうねりとは、全世界的な富の再配分という単なる経済的な変化に留まらず、人々の生活、国家の存在意義、世界地図、民族の定義、文化や伝統、さらには宗教の再編さえもともなう未曾有の大変革であるということを――。

迫り来る危険

ウェッカー警部は困惑した表情を隠すことなく、隣の部屋へ賢司を導いた。

「こちらをご覧ください。お父さまと一緒の部屋で発見されました」

はっ？――

今度は賢司の目が円くなり、時間が停止したようなしばしの沈黙が訪れた。

無機質な検死台の上に、血みどろの死体がもう一体横たわっているのである。

「あいにく身分証明書を持っていなかったようで。誰だか心当たりはございませんか？」

賢司は目を泳がせながら首を振った。

「でしょうねぇ、さっきの話ですと。でもこの男性はお父さまの知人だと思います。お父さまと前夜バーで話し合っていたところを、バーテンダーが目撃しているんですよ。もっとも、二人ともソフトドリンクを飲んでいたようですが。その後二人はお父さまの部屋に行き話をしていたようで、深夜に忍び込んだ犯人に殺害された――」

賢司は死体に視線をそっと転じてみた。

白人で、父と同じ七十歳ぐらいだろうか。何よりも目につくのが立派なヒゲで、耳の付け根から頰、アゴ、喉までを覆っている。グレーというよりは白の縮れたヒゲで、前頭がはげ上がっている頭の毛よりふさふさに見えた。

どこにでもあるような飾り気のない銀色のメガネフレーム。地味な真っ黒のスーツ。父のように質素な人間なのだろう。ジャケットは心臓の部分が無残に破れ、大量の血が、ノーネクタイで首ボタンを外したワイシャツをどす黒く染めていた。

父と同じように宗教家だろうか？

そう思った瞬間、ウェッカー警部が「こちらをご覧ください」と、賢司を被害者の頭側へ廻《まわ》らせた。

被害者は、頭の上に小さな皿をひっくり返したような黒い帽子のようなものをかぶっていた。

ズケット？　カトリック教会の聖職者？

「黒なので、私も間違えそうになりましたが、これはキッパーですよ。一番上のところに、小さなひもの切れ端みたいなものが付いていないでしょう？　これはユダヤ教のキッパーです」

キッパーは、ユダヤ教の聖所に入るとき、原則的に頭部につける小さな皿状の帽子のような民族衣装だ。神への謙遜を表しており、日常の生活でつけているユダヤ人も多い。

「ユダヤ人だと思います。しかも、敬虔なユダヤ教徒。そこに落ちているのは聖書ですよ」

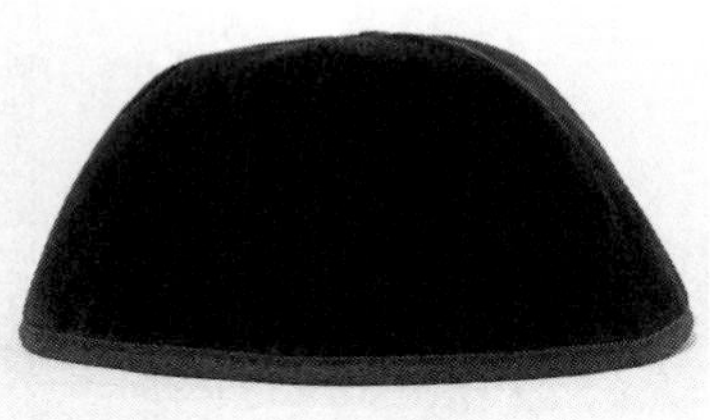

キッパー

いいながらウェッカー警部は観念したように口をへの字に曲げ、無造作に放り投げられた聖書を指さした。

「日本の由緒正しい神社の宮司であるお父さまが、ニューヨークで敬虔なユダヤ教徒と一晩中一体何を話し込んでいたのでしょうか？　そして、何で二人は、プロの殺し屋に命を奪われるハメになったのでしょうか？」

そんなことをきかれても、賢司は逆にきき返したいぐらいだ。

日本人とユダヤ人。神道とユダヤ教。歴史的にはまったくといっていいほど関係のないこれらが、一体なぜ、いまニューヨークで、こんな奇妙なかたちで結びついているんだ？

「お父さまは、ユダヤ人の人にお知り合いでも？」

「実は、私の母はもともとユダヤ人で、キリスト教に改宗しています。その関係で母の周りにはユダヤ人もいますが、彼らがまだ父と連絡を取り合っていたなんていうことは、考えにくいことですし、母からも一切きいたことはありません」

「では、何かユダヤ教の団体とか？」

「いいえ、さっぱり」

「ご覧のように、二人とも真正面から心臓を正確に撃たれています。逃げようとしていたなら、どちらかは背後から撃たれていたでしょう。そして、爪のなかや手にもいまのところ、犯人と争った形跡はありません。これらのことから考えると、お父さまも、この方も、最初から殺しの対象者で、犯人は撃つ前、二人と話していたんだと思います。お父さまとこのユダヤ人が話していたことを、きき出そうとしたのかもしれませんね」

賢司にはまったく見当がつかなかった。このユダヤ人どころか、そもそも父のことだって、よく知らないのだ。

しかし、この頃になるとウェッカー警部も完全に諦め顔になってきて、これ以上の情報を得ようとすることは時間の無駄だということがわかったようだ。

「そうですか、ケンシさん。わかりました。では、とりあえず我々が現時点でおうかがいしたいことは以上です。今日は大変なところ、捜査にご協力いただきありがとうございました。家族の方とご遺体を確認できたことは捜査にとって非常に助かりました。この後のことは、部下に連絡を取らせます。では、私はこのへんで失敬」

「あ、ウェッカー警部。あの——、一つお願いがあるのですが」

振り返ったウェッカー警部の眼には、意外さが滲みでていた。

「この男性のプロフィールがわかったら、教えていただくことは可能ですか？」

「あ、そのくらいのことでしたら、もちろん結構ですよ。私が直接連絡しましょう」

賢司がエレベーターで一階に降り外に出たところで、後ろから肩を叩く者があった。

振り返ると、ありきたりのネイビースーツを着込んだいわゆる日本の会社員風の男が一人、すらりと立っている。年齢は賢司と同じ位だろうか。気配の薄い、不思議な静けさを漂わせていた。

「賢司さん、初めまして。私は在ニューヨーク日本総領事館の度会《わたらい》といいます」

男はそういいながら名刺を差しだすと、映画にでてくるステレオタイプの日本人のように、お辞儀をしながら握手を求めてきた。

賢司は握手だけに応じる。

「あ、初めまして。ケンシ・リチャーディーです。すみません、いま名刺がありません」

「いや、大丈夫。よく存じ上げていますよ。お母さまのことも」

はっ？　と思わず洩らすと、賢司は夢からいま覚めたような顔になった。

「実は私の父は、賢司さんのお父さまとは高校の剣道部時代の親友だったんです。その関係で、お父さまには私が定期的に賢司さんの情報を送っていたんです。お父さまは、常に賢司さんのことを心配されていましたよ――。大人になられてからも。もちろんお仕事で成功されていることは、とても、とても喜んでおられました」

父が自分の情報を？

裏をかかれたような意外な事実に賢司は啞然《あぜん》とする。同時に、分別ある年齢になっても、父の想いを知る努力を怠ってきた自分に無性に腹が立ってきた。

やり場のない無念さや寂しさ。戸惑いや悔恨の念――父の胸中にわだかまっていたであろう、その想いに心を重ねると、申し訳ない気持ちでいっぱいになる。つい、涙が目から溢《あふ》れそうになった。

半世紀近い誤解が氷解していくような気さえしてくる。

しかし、その日は父が殺害された日――。その死をもってしか父の愛情を知ることがなかった自分とはなんとダメな息子だろうか。

が――。

「そのお父さまのことなんですが――」

突然の度会の口調の変化に、賢司は父の死について何かあることを察する。

「実は、お父さまは――、ご自分に危険が迫っていることをご存じだったんですよ――」

熊猫茶

東京港区元麻布《もとあざぶ》にある中華人民共和国駐日本大使館の外塀には、中国八大都市の巨大写真パネルが所狭しと貼りつけてある。打ちっ放しのコンクリート壁の明灰色と、フォトショップで強調された眉唾的な色のコントラストは、日本人には少々仰々しくも感じる。とりわけ正門すぐ右の南京市の写真は存在感を必要以上に誇示し、訪れるすべての日本人のこころに「南京を忘れるな!」と罪悪感をすり込むような烈《はげ》しささえ感じさせていた。

中華人民共和国駐日本大使館

先ほど、この正門から、駐大阪総領事の周《しゅう》領事が黒塗りのアウディで滑り込むように入っていった。ルーフ上には、警視庁から借り受けたバスケットボール大の特大回転灯が静かに周りを威嚇している。すぐ後方からは、尖閣《せんかく》諸島国有化反対の反日デモに反発する右翼の街宣車が、耳を聾《ろう》するような大音量で何かを連呼していた。

哀れな人たちだ――。

周領事は無表情だった。

君たちがニュースで見ていることは、本当の政治とは何の関係もないんだよ。国際政治とは、あなたたちの目の届かないところで動いているんだよ。

周領事は、これから話す本当に重要な裏話を思い出しながらクスッと笑った。

べたつく暑さのなか、車寄せで待っていたのはスーツを着込んだ二人の書記官だった。

「周領事、ようこそいらっしゃいました。郭《かく》大使がお待ちです。どうぞこちらへ」

この話をするのは、必ず最上位のセキュリティに守られた郭大使の部屋に限られている。それは数週間前、このとんでもない情報が転がり込んできたとき、初めて郭大使に伝えた部屋だった。扱いによっては、中国の安全保障環境を一変しかねない最重要マターである。最初のミーティングからこの部屋を要求したのは、周領事のほうだった。

「ようこそ、周領事」

郭大使は、笑顔ながらも緊張した面持ちで周領事を迎えた。

細い黒縁フレームのメガネのなかで、茶色い瞳が気忙《きぜわ》しそうに動いている。一文字にぐっと結ばれた薄い唇は、それより神経質そうに見えた。

郭大使はメイドが入れた中国茶を周領事に自分で差し出した。

「いやぁ、この前中国に帰ったとき、面白いものが手に入ってね。これなんだが」

それは何の変哲もないお茶のように見えたが、郭大使はひと口すると労《ねぎら》うようにいった。

「わざわざ大阪からやって来られたのだから、最高級の熊猫茶《パンダ》でおもてなししようと思ってね。抗がん作用のある竹だけを食べている、パンダの糞《ふん》で育てたお茶なんだよ――」

周領事は以前、熊猫茶の記事を何かの雑誌で読んだことがあった。新しく開発されたお茶だそうだが、つくったのが中国のベンチャー企業というのがなんともいかがわしい。

周領事も茶の香りを注意深く嗅ぐとひと口すすった。

だが最初に考えたことは、大して美味《おい》しくないこのお茶を、郭大使の気分を害さずにどう批評しようかということだった。

時間を稼ぎながら、ゆっくりとソファの背にもたれる。

しかしメイドが退出するドア音が轟《とどろ》くと、郭大使は数百万円のお茶の感想もよそに待ちきれない様子できいてきた。

「で、やはり、日本にあるのかね?」

不思議なカタカナとカタカナの不思議

「え⁉　一体誰が、何の理由で父の命を狙うんですか？」

　そう口走ると、賢司は見開いた目で度会を睨みつけた。

「そこまでは教えていただけませんでした。ただ、もし自分の身に何かがあれば、これを賢司さんに渡してほしいと頼まれました――」

　いいながら度会は年季の入った黒のダレスバッグから封筒を取り出し、硬い表情のまま賢司に手渡した。ズシリとした和紙の封筒で、藁《わら》を織り込んだような模様がいかにも日本っぽい。

　賢司は逸《はや》る気持ちを抑えながら開封すると、厚い和紙の便箋が二枚、三つ折りに入っていた。鮮やかな紺青色の万年筆で綴《つづ》られた、実に几帳面《きちょうめん》な味わいの字面だった。

　度会が目尻を下げて、どうぞと目配せすると、賢司は初めて見る父の字を追った。

　そこには自分への詫びの気持ちがしたためられていた。本当は会いたかったけれど、落ち着いた環境で育ったほうがいいと考え、あえて連絡を取らなかった苦渋の決断についても。

　その行を読んだとき、賢司の心のなかである思い出と繋《つな》がった。大学を卒業した年、母から出し抜けに父に会いたいかときかれたことがあった。

あれは僕が大学を卒業するのを待って、父が会おうとしていたからだったんだ——。

微《かす》かに思い出すのは、そのときすでに父は自分の人生とは関係ない存在と吹っ切れていたこと。深く考えずに断ってしまったことが、いまさらながら悔やまれてならない。

ふと、赤茶けた白黒写真が一枚同封されていることに気づいた。

引っ張り出してみると、子供の頃の賢司が父と母の三人で楽しそうに笑っている写真だった。誰もが持っていそうなごく平凡な家族写真。しかし賢司は、自分のそんな写真をあまり見たことがなかった。

何気なく写真を裏返してみる。

何だこれは？　——手書きの文字が書かれていた。

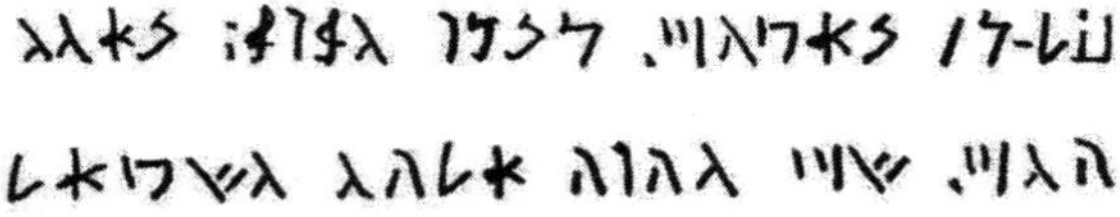

「これ日本語ですか？」

度会も首を突き出すと、目を凝らしながら見入る。

「字体が大きく崩れているのではっきりしませんが……。どうやらこの文字は日本語のカタカナのようですね。でも、単語としても文章としても意味はまったく通じません」

「カタカナとは確か、日本語のアルファベットのことですね？」

度会は眉間の皺を伸ばし、賢司に視線を移した。

「えぇ。でも、日本語には二つの独立した表音文字があるんですよ。昔、女性は漢字の使用を禁じられていたため、ヒラガナというアルファベットをつくって使用していたんです。ところがカタカナというアルファベットが、いつの間にかできて使われるようになった。発生した理由には諸説ありますが、基本的には謎のままなんです」

賢司はほかの国の例を考えたが、そんなケースは思いつかなかった。

「日本ってなんだか謎の多い国ですね」

度会は取り繕ったような笑顔を返すと、

「でも、カタカナではないような文字も入っていますね。何かの記号でしょうか？」

そういわれても賢司には判断できなかったが、逆に質問してみた。

「父って、英語以外の言葉を話せましたか？」

度会は眉根を揉《も》みながらしばらく考え込む――。

「確か――、私の父の話では、あなたのお父さまは帰国された頃から何か勉強されていたとか。しかしそれが何だったかは、思い出せませんが――」

二つの入れ物

周領事は、急な話題の転換に少々戸惑った。

が、相手に安堵《あんど》を植えつけるように、すぐ頷く。

「はい、間違いなく日本にあります」

いいながら周領事は、初めてこの情報に触れたときのことを思い出した。その日は数週間前、何の前触れもなく突然やって来た。

「やはり噂《うわさ》は本当だったようです」

中国が日本のあらゆる機関や団体に忍び込ませている、スパイの一人からの連絡だった。

そのスパイは、八年もの間、一切の連絡も取らずに潜伏していた。それが与えられた唯一の任務だったからだ。情報がない場合は十年間は連絡を取らず、予算は無制限。破格の条件は、事の重大さと日本側の並々ならぬ警戒を意味していた。なぜならば、もしこれが他国の手に落ちれば、日本と中国の安全保障環境は一変しかねないのだ。

「で、その場所は？」

郭大使は周領事がスパイにきいた同じ質問を、同じ引きつったような顔で問うてきた。

「それが――、可能性は二カ所あります。まだ絞り切れていません」

郭大使の目に落胆の影が差した。

しかし、それを振り切るように尋ねる。

「その二カ所とは？」

「まず一カ所目は、皇居です」

「皇居？」

一瞬、郭大使の顔から表情が抜け落ちる。だがすぐ、声を荒げた。

「世界最大の都市、千二百万人の人口のド真ん中に、世界最大の秘密が隠されているだと？　いかにもじゃないか、ハッ、ハッ、ハッ、ハッ、ハッ」

郭大使は大声で笑ったが、目は笑っていなかった。

周領事は皇居内の構造から説明した。まずは皇居全体の三分の一を占め、東京ドーム約九個分もあるといわれる天皇の居住場所――吹上御所《ふきあげごしょ》。ここには数百種の樹木や百種以上の野鳥が生息している、都心のサンクチュアリーともいわれる場所だ。

それから宮内庁と、一般にも公開されている北の丸公園と江戸城本丸跡の庭園。

最後は、築地塀《ついじべい》という泥土の伝統的な壁に囲まれ、荘厳にもひっそりと建つ総檜白木《ひのきしらき》造りの三つの社殿――神殿《しんでん》、賢所《かしこどころ》、皇霊殿《こうれいでん》。

「宮中三殿《きゅうちゅうさんでん》だな。やはりそのなかか？」

数百万円の熊猫《パンダ》茶は冷めかかっていたが、郭大使はそれさえも忘れているようだ。

周領事は以前から、宮中三殿には何かがあるのではと気にかかっていた。しかし、そこは天皇家の私費でまかなわれているため、通常は皇族や護衛官以外は侵入どころか近寄ることすらできない。外部にはほとんど情報が洩れてこないのだ。

実は配達員を装って、諜報員《ちょうほういん》を一度近くまで忍び込ませたことがある。報告によれば、なかでは掌典《しょうてん》と呼ばれる職員が二十四時間体制で傅《かしず》いていて、特に内掌典《ないしょうてん》と呼ばれる女性職員は服装、髪型、日々の決まり事まですべて平安時代と同じように仕えているとのことだった。既婚者はいまでもお歯黒までしているという徹底ぶりである。この二十一世紀にだ。

宮中三殿は、まさに歴史の厚いベールに囲まれた禁秘の神殿だったのだ。

「右側の神殿には八百万《やおよろず》の神。左側の皇霊殿には歴代天皇と皇族。真ん中の賢所《かしこどころ》には神道の最高神アマテラスが祀られています。で、その賢所なんですが――、アマテラスのご神体が鎮座《ちんざ》しています」

緊張感が高ぶるような間があった。

「確か、伊勢神宮内宮《ないくう》にあるご神体のレプリカで、鏡だった

宮中三殿

皇居

と思うが」

いいながら郭大使は背もたれから起き上がり、身を前にグッと乗り出してきた。

「ええ、確かに文献上では――」

周領事はその眼を曰《いわ》くありげな視線で睨みつけると、一拍置いた。

「ところが不思議なことに、その鏡であるはずのご神体の入れ物は――、なんと二つあるんですよ――」

重い鏡

「入れ物が二つ？」

腹の底から疑心の塊を吐き出しながら、郭大使は意表を突かれたように座り直した。

「ええ。二つの櫃《ひつ》です。ですから、伊勢神宮内宮のご神体とは異なるものであることは間違いありません。しかもそれぞれの櫃が何と二百キログラムもあります。つまり、二つの櫃には同じものが入っているということです」

郭大使は気を詰めた面貌で周領事を見ていたが、次の言葉が見つからないようだった。

「伊勢神宮で鏡が入っているといわれる入れ物は一つですし、この賢所の櫃とは比較にならないくらい簡素なものです。何であるにせよ、内宮と賢所のご神体が異なるということだけは事実です――」

いった周領事は、さも自信ありげだった。

実は周領事は、過去に一度、傲慢とも疎放とも見えるその仕事の進め方について郭大使から注意を受けたことがある。今回も郭大使がそんなことを心配しているのかどうか、一抹の不安は禁じ得ない。

しかし周領事は、それはそれで構わないと思っていた。このきけばきくほど真実と思えてくる不思議な話は、郭大使とていずれ認めざるを得ないだろう。

それはつまるところ、時間の問題だ。

そんな周領事の心の機微を知ってか知らずか、郭大使は険しい表情をいまなお崩していない。その陰気くさい額の皺を見つめながら、周領事は声高な主張をし続けた。

「皇宮警察の記録を確認しましたが、その二つの入れ物というのは紐《ひも》で網目状に搦《から》めたうえ、封印までしてある唐櫃《からびつ》という名の櫃です。それぞれが縦横約八十センチ、高さが約九十センチ。我々が探し求めているものとほぼ同じサイズです」

郭大使から唸り声が洩れたが、やはり言葉が続かず白けたような沈黙が流れた。

「被災時の緊急マニュアルでは、天皇皇后以前にまず最優先で救助するのがこのご神体です。各六人で運ぶことになっているのです。レプリカだったとしたら、天皇より先に救い出すというマニュアルはおかしい。それにどう考えたって鏡としては重すぎます」

語気を強めた説得に、郭大使はやっと険しい眉を解きほぐし、窓外の木々を見始めた。

気の緩んだようなその横顔に若干の安堵感を覚えながら、周領事は肩の力がスッと抜けていくのを感じた。

郭大使が何かを思い出したようにきいてきた。

「で、もう一つの可能性はやはり？」

「はい、お察しの通り」

郭大使は頷き、周領事の冷めた熊猫茶《パンダ》を一瞥《いちべつ》しながら、

「で、場所を特定する方法はあるのか？」

と問い質《ただ》すと、周領事はその最後の不安を振り切るように深く頷いた。

ロケット・サイエンティスト

賢司は意味不明なカタカナの文字列が、父の最後のメッセージに関することと直感していた。

これが暗号ならば、絶対に解いてやる——。

だが一つ気になったのは、度会が別れ際、含みを残すようにささやいたことだった。

「大使館情報で詳しくはお伝えできませんが、この件についてはＣＩＡをはじめ、中国、ロシア、イスラエル、イラン、サウジ、英国、フランスなど各国の課報機関が不穏な活動をしているんですよ。ですので、あまり深入りしないほうがいいかもしれません」

なぜかと質問しても口をつぐむ度会を前に、賢司にはその理由はわかりようがなかっ

た。しかし暗号を解いて真相を知ろうとする決意には、何の影響も及ぼさなかった。

父がなぜ、わざわざニューヨークまで来て死んだのか。命がけで伝えようとしたメッセージとは、一体何だったのか――。

見たこともない文字列を専門家でもない自分が解読できるのかという心配はあったが、心強い味方もいた。一緒に会社をクビになったデリバティブチームの天才メンバーたちである。資本市場は常に世界中の経済状況、政治動向、業界動向、企業動向、商品動向、安全保障環境、天候、宗教、需給関係、思惑などありとあらゆるものに翻弄されながらヤジロベエのように動き回るため、投資銀行ほど幅広い分野におけるトップクラスの専門家が集結しているところは滅多にないからだ。

賢司が最初に思いついたのは、イラージ・カーニであった。デリバティブ評価式の作成をよく頼んでいたし、その才能には憧れさえ抱いていた仲間だ。

イラージはイラン出身の天才物理学者である。若くして才能を発見されたイラージは、国費によりオックスフォード大学で物理学を専攻すると、博士号をハーバード大学で取得した。専攻は理論物理学で、専門は核異性体とガンマ線研究であった。

イラージはＮＡＳＡに就職を希望し、職を得られるまで大学で講師として働いていた。しかし、安全保障上の理由からイラン人の就職は難しく、結局ウォールストリートにやってきた。

イラージが所属していたのは、オプションの代表的な評価式、ブラック＝ショールズ

47

(a) Let ϕ to be the probability density function of standard normal distribution, show that the following equality holds.

$$e^x\phi\left(\frac{x-(r-\sigma^2/2)T}{\sigma\sqrt{T}}\right)=e^{rT}\phi\left(\frac{x-(r+\sigma^2/2)T}{\sigma\sqrt{T}}\right)$$

(b) According to Black-Scholes Formula, fair premium for a European call option at current time is

$$C_0=\exp(-rT)E_Q[(S_T-K)_+]=S_0\Phi(d_1)-K\exp(-rT)\Phi(d_2)$$

where

$$d_1=\frac{log(S_0/K)+(r+\sigma^2/2)T}{\sigma\sqrt{T}}$$

and

$$d_2=\frac{log(S_0/K)+(r-\sigma^2/2)T}{\sigma\sqrt{T}}=d_1-\sigma\sqrt{T}.$$

Derive the fair premium to pay for a European put option with same strike price K, same expiration time T and concerning same underlying asset using put-call parity.

代表的なデリバティブの評価式(ブラック=ショールズ式)

式を提唱した元シカゴ大学教授、フィッシャー・ブラックが率いるデリバティブ評価式を考案する専門部署である。ブラックはその後咽《いん》頭《とう》癌《がん》で急逝したが、相方のショールズはこの式でノーベル経済学賞を受賞している。

　この部署に職を得るのは果たして過酷な試練だった。そもそも超一流大学の数学か物理の博士号の所持者でなければ、履歴書さえ読んでもらえない。だがそれでも履歴書は、世界の隅々から連日のように降ってくる。人材が必要となったとき、その膨大なファイルからまるでアイドルの推しメンでも選び出すように候補者をじっくりと選択し、そこからほかの部署と同じように約三カ月かけてありとあらゆる人間で面接するのだ。当然、この部署に属していただけで、世界一流のお墨付きを得たようなものである。しかもイラージの天賦は、そのなかであってもずば抜けていたのだ。

　先祖は代々医者か大学教授という家系だそうで

ある。上品な顔立ちで、イラン人といっても肌は白く、ヒゲもない。さながら北方のアーリア系イラン人といった物静かな面容で、ジャングルのようなウォールストリートではまったくといっていいほど目立たなかったが、アパートが近所ということもあって賢司とは特に仲が良かったのである。

久しぶりに電話をするとイラージは学界に戻っていて、コロンビア大学ネービス研究所で准教授として教鞭《きょうべん》を執っていた。新たな粒子研究に携わっているのだそうだ。しかしいまは夏休み中とのこと。子供の頃の趣味は暗号解読とロケットを飛ばすことだったといって、いつものように二つ返事で快諾してくれた。

イラージは、一つだけ尋ねた。父が大学で数学を勉強したかどうか。

「いや、確か――、僕の母と同じ学部で、世界史が専攻だよ」

イラージは数式のようにプラクティカルな人間だった。賢司の家に着くなり、ろくな挨拶もせず、問題の暗号はどこかときいた。

素っ気ないその態度に昔の日々を思い出した賢司は、笑いを押し殺しながら問題の文字列を見せた。

「これは原始的な暗号。でも僕だけでは無理」

因数分解したような言い回しは昔のままだが、イラージには珍しい冗談かと思った。

「イラージより頭のいい奴を、一体どこで探してくれればいいというんだよ？　ナチスのエニグマを解読したチューリングは、ドイツ語を喋《しゃべ》れなかったよ?」

「お父さんは賢司と四十年以上も音信不通。共通キーなし。数学の専門知識もない。

——これは高度な暗号ではあり得ない。日本語がわかる人間を探すべきだ」

イラージは、有無をいわさぬロジックを機械的に積み上げた。

賢司はぐうの音も出なかったが、ボォーッとある男の顔が思い浮かんできた。

ポケットからスマートフォンをまさぐり出す。半端な笑みをつくりながらきいてみた。

「どうだろう、デービッド・バロンなんかは?」

イラージの口元にも半端な笑みが洩れた。

「バロン? あのお調子者? そっか、確か、バロンって日本語できたよね——?」

お調子者

デービッド・バロンは、いろいろな意味でゴールドマン・サックスの従業員らしからぬ男だった。その目立ちたがり屋の性格は、ウォールストリートきっての保守的なゴールドマンでは異常にさえ映った。実際デービッドが面接を受けたときは、彼の性格に難癖をつけ、「ゴールドマンのカラーに合わない」と烙印《らくいん》を押した人がほとんどだった。

そんなデービッドがゴールドマンに入社できたのは、彼のロスチャイルド家との血縁のせいだと思われていた。しかし当の本人はそんな噂は蛙《かえる》の面にションベンで、性格をゴールドマン用にとりつくろうとは微塵《みじん》も考えていなかった。むしろ入社と同時に多くの大口顧客を引き連れ、ウォールストリートではコネがすべてではないが大きく物をいうことを、どうだといわんばかりに見せつけた。

　しかし賢司がデービッドを評価していたのは、一風変わったその視点だった。九〇年代初頭、シカゴ大学でＭＢＡを取得したばかりのデービッドは、入社直後、当時はまだ先輩だった賢司に高圧的な口調でいった。

「賢司、ほかの国際的な金融機関にあっても、ゴールドマンにはないものが三つあるな」

「えっ？　何それ？」

「何だ、気づいてなかったのか？　女性の取締役《パートナー》、アラブ人、それにフランクフルト・オフィスだよ」

　翌年解消したが、確かに当時、アメリカのグローバル企業でこれらが三つ揃ってなかった企業は皆無だろう。これらはすべて差別に関することであるが、賢司はまったく気づいていなかった。

　デービッドはこういうちょっと変わった視点を持っていて、少数派が常に勝者となる市場では、このような奇異な視点が大事であると賢司は信じていたのである。

　デービッドは父の仕事の関係で中・高校時代を日本で過ごしていた。ユダヤ人といっても白人系ユダヤ人（アシュケナージ）で、金髪と青い瞳のモデルのような顔をしている。日本では大層もてたようで、事あるごとに吹聴する自慢話によれば、流暢《りゅうちょう》な日本語は毎月のように替わるガールフレンドから教わったらしい。

「ヘイ!」

賢司を見ると、デービッドはお約束の人を食ったような態度で挨拶をした。

「デービッド。来てくれてどうもありがとう」

「いやぁ、ワインセラーに眠っている八二年のボルドーを飲みながら、ミステリアスな暗号解読も悪くないかなってな——」

忘れかけていた狡知《こうち》に長《た》けたデービッドの駆け引き術を、半強制的に思い出させられたような気分だ。

「えっ? 随分高い暗号だな——。相変わらず鼻がいいな、デービッドは——」

「ところで、日本人でも読めないレターがいくつかあるんだろ? もしかしたら漢字の一部かも知れないと思って、ウィリアムを呼んだぜ。もうすぐ現れると思うけど」

ほどなくベルが鳴り響き、インターフォンにアニメキャラのようなのっぺり顔が映った。

短いストレートの黒髪、愛嬌《あいきょう》ある一重瞼の小さな目、まるであばたのようなデコボコの頬。——四年前、さよならパーティーで見たままのウィリアム・王《ワン》の笑顔だった。

陰謀論者

ウィリアム・王は、河南省にある中国六大古都のうちの一つ、開封《かいほう》市の出身である。父は共産党の相当な地位の幹部なのだろうか、まだ中国がさほど裕福でない頃にオックスフォード大学を卒業した。その後中国に戻ったものの、やっぱり世界で一番お金が儲かりそうだということで、ウォールストリートにやってきた。

父親の人脈を駆使し、中国人富豪を相手にセールスとして働いていたことから賢司とはあまり接点がなかったが、デービッドはトレーディングが忙しくなると自分の顧客サービスを王に頼んでいたため、二人は当時から気心が知れた間柄だった。

だが賢司は、王が陰謀論者ということは知っていた。マーケットが暇なとき、陰謀論を毛嫌いしているデービッドといい争っていたのをよく目撃したからである。王の持論の根拠はいたって単純だった。そもそも中国が世界を支配しようと陰謀を企てているのに、ユダヤ人が同じことを企んでいないわけがないというのであった。

ほとんどいいがかりといえそうな、とりとめのない論拠にもきこえるが、実は賢司は、デービッドが王をいいくるめるのを一度も見たことがなかった。意外にも、常に劣勢に立たされていたのは決まってデービッドのほうだったのだ。世の陰謀論者の例に漏れず、王は世界中のあらゆる謎という謎に鼻を突っ込み、ひとたび舌戦が始まるや否や、まるで生き字引のようにウンチクを吹きまくる百戦錬磨の雄弁家だったのである。きわどい裏話にさえ、「そんなこと、なんで王が知っているんだよ?」と、ついついみんなが噴き出してしまうほど微に入り細に入り精通していたのだ。

しかしいくら悪態をつきまくっても、憎みきれないアニメ顔。みんなからはいつも『王《ワン》、ツー、スリーの王《ワン》』と愛玩されていた。

顧客ベースは中国人のみとあって、王は朝夕中国語にどっぷり漬かっていた。しかも生粋の中国人気質で、郷に入っても我関せず――通訳が必要なほどの強い訛《なま》りと変てこなアクセントがそちこちに混ざった英語に胡座《あぐら》をかき、妙ちきりんな発音でよくデービッドにいい迫っていた。

「理屈はイイから、自分たちの陰謀を早くミトメテしまえ!」と。

解読

四人集まったところで解読作業が始まった。

デービッドがセラーから勝手に持ってきた八二年のシャトー・マルゴーを飲み出すと、王は持参した鉄観音をすすり始めた。

まずイラージが仮定したのは、この暗号は最もシンプルな暗号だということだった。

ほとんどコミュニケーションがなかった二人には、復号するためのキーのやり取りができない。一方で、高度な数学知識が必要となる公開鍵を使う方法も考えにくい。

「〝古典的暗号〟――、最もベーシックな暗号だ――解読は難しくないと思う」

イラージは、いつもの言葉足らずの文章で、暗号の歴史のなかでも最も初期のスキュタレー暗号をまずトライしようと提案した。紀元前五世紀、領土拡大をめざすペルシャが、スパルタを攻める計画をもつことを密かに知らせた暗号である。細長い紙テープ上に書かれた文字列をある太さの丸棒にぐるぐる巻くと、復号された文字列が表れてくるという単純なものだった。

イラージはこれを行う簡単なプログラムをその場でささっとつくると、プリンターが吐き出した文字列をデービッドに見てもらった。

部屋中の空気が次第に尖《とが》っていく。が――、

「どの組み合わせもまったく無意味だぜ。――それともまだ飲み足りないか？　それも賢司のワインセラーだったら悪くはないけどな」

デービッドはあっさりと出力紙を放り投げた。

賢司は気落ちしながらも、それ以上に、長年デービッドの人間離れした肝細胞を恨んでいたことを思い出していた。――こいつ、まだ飲むのか？

「次は、シーザーが使ったシーザー暗号」

イラージが次に提案したシーザー暗号は、例えば鍵を三とすれば、英語のアルファベットAを三つずらしてD、BはE、CはFというようにすべて三つずつずらして暗号文

をつくる手法である。

これをカタカナ用に変換したプログラムができ上がり、プリンターが可能性のある文字列を出力した。賢司が申し訳なさそうにデービッドに呟《つぶや》く。

「日本人の彼女がいたのはデービッドだけだから——」

デービッドが湿った笑みを返すと、部屋が再び静まりかえった。

眉間に寄る皺はいつになく深い。賢司は、デービッドに祈るような視線を送っていたが、デービッドはすぐにいい放った。

「まったく、ちんぷんかんぷんだぜ！」

ふざけた口調だったが、この言葉でなんともいえない不安の滲んだ空気が部屋中に漂った。

イラージは努めて明るく振る舞い、次のプログラムをつくり始めた。

——結果は変わらなかった。

古代ギリシャの歴史家ポリュビオスがつくったとされる、ポリュビオス暗号。十五世紀にフィレンツェで開発されたアルベルティ暗号。その発展系のヴィジュネル暗号——。数学の知識のない賢司の父でも読めそうな、暗号テキストブックに書いている方法はすべて試した。しかし、結果はみな同じだった。

賢司は不安を募らせて空気を見つめている。

それを見たイラージは、気遣うような強い響きで、

「次は頻度分析。暗号解読の一般的な手法だ」

といったが、隣のデービッドは、「まだやるのかよ?」といわんばかりの渋面だった。

賢司は期待を込めた視線をイラージに送ると、イラージもその想いを感じているように首を縦に振った。

「日本語文字の頻度と、この文字列の頻度との比較を行う。頻度の似ている文字に日本語の文字を当てはめていく。ちょっと文字数が少ないけど、トライする価値はあると思う」

頻度分析は、より高度な暗号でも解読できる方法だ。イラージはデービッドの助けを借りてネット上から日本語の頻度分析用データを探し出し、プログラムをつくった。

しかしデービッドは紙を投げ捨て、無言で首を振った。

みんなの喘《あえ》ぐような息が洩れる。イラージの目は、崖っぷちに立たされていることを悟られまいとする目になっていた。

デービッドはもう目が回りそうだとぼやくと、賢司も不安の眼差しになった。

イラージで解けなかったら一体誰が解けるというんだ——。

「漢字は?」

イラージが投げた言葉の先で、王はじっと黙りこくっていた。文字列と格闘しながら、組み合わせた文字をメモ用紙に書いている。

しまいに唇を尖らせた。

「芳しくナイ。ダメだね……サッパリ。漢字にはナラナイよ。ドノ組み合わせでも」

「だめかよ――」

諦め口調のデービッドのその言葉が、賢司の脳裏に絶望の二文字をよぎらせた。

イラージが、思い詰めた目つきでその懸念を振り切るようにいう。

「次はアナグラム。文字列をコンピュータで並べ替えて、オンラインの日本語辞典を使って単語になっているかをチェック。それをデービッドが文章としてチェックする」

この時点でデービッドは既に八二年のボルドー・ワインを三本も飲み干していたが、賢司に恩を売るような笑顔を送った。

「まぁ、〇五年のシャトー・ペトリュスが数本あったから、もう少し頑張ってみるか――」

共通キー

数時間後ひと休みしたデービッドは、プリントアウトされた用紙をイラージからもぎ取るように受け取ると、賢司から手渡された冷たい水を呷《あお》り、大きく息を吐きながらソファに腰を下ろし、文字列を凝視する。期待に目を潤ませたような三人の視線が一斉に注がれた。

時折、デービッドの目の筋肉がピクリとする。それを見つめる賢司の眼差しは、いちいち反応していた。

しかし書き出された文字のリストは意外に短いものだった。

「ダメだね。意味のある日本語なんかにはなっていないぜ――」

デービッドが冴えない表情でいうと、重々しい空気が充満した。

賢司は残念そうな溜息《ためいき》を洩らしながら腕を組んだ。思い詰めたような表情で、不安な視線をイラージに送る。

イラージは申し訳なさそうな目元で首を横に振ると、いつもよりも小さな声でいった。

「僕には解読できない……残念だけど」

究極の解のようなその言明に、賢司は天井を仰いだ――父の最後の表情が脳裏に蘇る。父が最後に伝えたかったこと。それは一体何だったんだろうか――。

賢司は視線を床に落とすと、両膝に手を置き、思わず頭《こうべ》を垂れた。責任を最も重く感じていたのはイラージに違いなかった。その眼は、できればなんとかしてあげたい、といいたげでもある。

「難しく考えないで。共通のキーは身近なものかも」

意外な提案に、賢司は曖昧な表情でイラージを見据えた。そのとき――。

インターフォンのベル音が部屋中に鳴り響いた。――一斉に振り向く。

壁にはめ込まれた小さな白黒モニターには、低解像でもすぐにわかる賢司の母イエナンの優しい笑顔が映し出されていた。

みんなと久しぶりの挨拶を終えたイエナンは、父との最後の別れのために一時帰国したことを伝えると、賢司は早速問題の写真を見せた。

「ところで、この写真知っている？　お父さんが、僕に知人を介して送ってきたんだけど」

何かしら――、といいながら首を突き出して覗き込むイエナン。

急にその目が真っ赤に充血し、涙が溢れそうになるのをみんなは目撃した。

「懐かしいわ――。お父さんは、とてもこの写真を気に入っていたの」

その大粒の涙を見て、賢司は二人が本当に愛し合っていたことを理解した。

その愛の結果、自分がこの世に生を享《う》けた――。

これまで縁がなかったと思っていた愛が満ち溢れる家族。本当は自分は持っていたんだと、実感できたような瞬間だった。

「ところで、その裏をちょっと見てくれる？」

涙をぬぐいながら、イエナンがひらりと写真を裏返す。字が小さすぎたのか老眼鏡を取り出し目を凝らしていたが、表情が突然曇ったかと思うと、やがて凍りついた。

イラージが賢司に耳打ちする。

「共通のキーは、お母さんだ」

イエナンは感情を爆発させせまいとする眼差しを賢司にそろりと留めた。

「……東で神をあがめ、海の島々でイスラエルの神、主の名をあがめよ……」

そこへ、〝天国への階段〟がまた鳴り響いた。

賢司は母を幾度も振り返りながら席を外し、電話を受ける。

しばらくすると、また戻ってきた。

「電話、ウェッカー警部からだったんだけど、お父さんの部屋で亡くなった人、身元が判明したんだって。ユダヤ人ラビで、名前はアブラハム・ヘルマン、六十八歳。イスラエルでアミシャブという、ある調査機関のリーダーとのことだったけど」

イエナンの肌が次第に粟立《あわだ》っていく。唇はすでに蒼《あお》ざめていた。

「あ、あなたのお父さんが、なぜ殺されたかわかったわ――」

賢司は思わずのけぞると、ねじ込むような視線でイエナンを覗き込んだ。

「あなたのお父さんは――、日本の……タブーのために殺されたのよ……」

瑞穂の国

下鴨神社《しもがもじんじゃ》は古都京都にある。

千年にわたり首都であった京都は、日本の歴史、伝統、文化の中心地として君臨してきた。時の流れに身を委ねた古き良き街並みが、いまなお訪れる人々の心に深い印象を刻んでいる。その背後には、古都を見守るようにそびえ立つ山々があり、四季折々に変わるその表情は、京都の古い神話に色を加え、数々の詩や物語にインスピレーションを

下鴨神社

与えてきた。そして都の長きにわたる繁栄は、その山々から湧き出ては都を潤し続ける生命の源、良質な水にあったといわれていた。

北の山から京都盆地に流れ込むのは賀茂《かも》川《がわ》と高野《たかの》川《がわ》である。二条の流れはやがて都の中心からやや北東で重なり合うように合流すると、ほぼ真南に抜けていく。下鴨神社はその二つの川面の合流地点、ちょうどYの字の間に位置していた。葵橋《あおいばし》を介した対岸には京都御所《ごしょ》があり、天皇家との歴史的な繋がりがうかがえる。

この下鴨神社で、先ほどから月次祭《つきなみさい》の予行が進められていた。毎月初めに催される皇室の弥栄《いやさか》と国家国民の平安を祈る神事《しんじ》だが、七月は十五日に行われる特別な月であった。

お祭りといっても一般参加のない簡素な

ものである。普段と異なるのは、毎日神に捧げる御日供《おにっく》（お食事）を一層丁寧につくることぐらいであった。

純白の浄衣《じょうえ》と立烏帽子《たてえぼし》で正装し、神職一同が本殿《ほんでん》に集まり着座した。するとまもなく上位三人の神職が神に御日供をお供えし、一人が代表して力強い祝詞《のりと》を奏上する。

この間、ほかの神職は着座したまま上半身を腰からまっすぐ折り、頭を垂れ、両拳を床につきながら一切身動きしない。そのなかにいた小橋直樹《こばしなおき》の額からは汗が滲み始めていた。

真の神道を守り通さねば――。

月次祭（下鴨神社）

小橋は、そう考えていた。

神道は太古より信仰されてきた日本の宗教だ。自然に対して畏敬の念を抱き、森羅万象すべてに神が宿ると考える。祖霊を祀り、祭祀《さいし》を重視する信仰でもあった。また宗教より信仰と表現するほうがしっくりくるのは、宗教は西洋のレリジョンに対応する言葉として明治時代に新しく創作されたものだからだ。

だが神道は日本人の精神文化に大きな影響を与えるだけに、歴史的にさまざまな圧力を受けてきた。そしてそれは現在も続いている。小橋はそんな状況に大きな不満を覚えていた。

純粋な神道を取り戻さなければ――。

神道を脅かしてきた最も大きな力は政治的な圧力だ。仏教派が実権を握り、神仏習合を強要された時代。国家神道のもと、国民が戦争に駆り立てられた時代。長い歴史のなかで、神々は常に人間の権力闘争や政治によって汚されてきた。

しかしいま、神道が受けている最大の政治的圧力は外国からの圧力だ。

日本人の屈強な精神や連帯感は、公を旨とする神道の価値観から来ている。その神道と、米作文化とは不可分である。だから毎年米の収穫を祀る最重要祭祀の新嘗祭《にいなめさい》は、日本人の精神から切り離すことはできない。米作が日本から絶えれば、祭祀とともに神道も絶えてしまう。それは日本人の心のなかからそのOS《基本ソフト》を除いてしまうようなものだ。

日本は米の国だ。稲穂の国だ。

天皇家は、神道の最高神アマテラスから授かった最初の稲穂からこの国を作った。その稲穂の収穫を祝う新嘗祭を毎年秋に行わないことなど、日本の伝統にとってあってはならないことだ。

日本は瑞穂《みずほ》の国なのだから――。

しかし諸外国は、日本の弱体化を狙って米市場の自由化を要求している。稲作文化を壊滅に追い込み、天皇家の伝統と稲作とを切り離すために。日本の伝統を亡きものとし、日本人の精神のかたちを破壊して国力を弱体化させるためにだ。

このままでは日本が日本でなくなってしまう――。

小橋は憂える気持ちと怒りを抑え、厳かに宙を舞う祝詞の響きに全神経を集中した。

偶然・当然

イエナンがコップの水をゴクリと飲み干すや否や、賢司はやきもきした表情で問い質した。

「お母さん、あのカタカナはなんて書いてあるっていった?」

「実はあの文字はアラム語で、カタカナではないのよ。古代ヘブライ人は昔、アラム語を使っていたの。例えばアーメンという言葉もアラム語。私はキリスト教へ改宗する前に勉強したから読めるけど」

耳に飛び込んできた話のあまりの突拍子のなさに、その場は逆に白けてしまった。賢司は何をどう理解すればいいのか、さっぱりわからない。

しかし、角が立ったイエナンの目は真剣そのものだ。

「あれは紀元前七世紀頃、南ユダ王国が崩壊する直前、預言者イザヤがいった言葉よ――」

そう切り出したイエナンは、ハンドバッグから引っ張り出したタブレットで図を見せながら、静かにもどこか情熱を秘めた口調で説明し始めた。

紀元前十三世紀頃、エジプトで奴隷の身に甘んじていたヘブライ人たちは、ある日、神に導かれたモーゼとともに約束の地カナンを目指して脱出する。後年、その地にイスラエル王国を建国すると、ソロモン王の時代に栄華を極めた。

しかし王の死後、国は北イスラエル王国と南ユダ王国に分裂。北イスラエル王国はアッシリアに滅ぼされ、のちに南ユダ王国は新バビロニアによって滅ぼされてしまう。

問題は、アッシリアが北イスラエル人たちをアッシリアに強制移住させたことだ。その翌世紀、アッシリア自身が滅んだとき、捕囚《ほしゅう》されていた北イスラエルの人々は元の地に戻らず歴史の混乱のなかに忽然《こつぜん》と消えてしまったのだ。

「それが世界史最大の謎の一つ、『失われた十支族《じっしぞく》』というやつですね。それなら私も自分たちの歴史として知っていますが、それとこの話がなぜ関係しているんですか？」

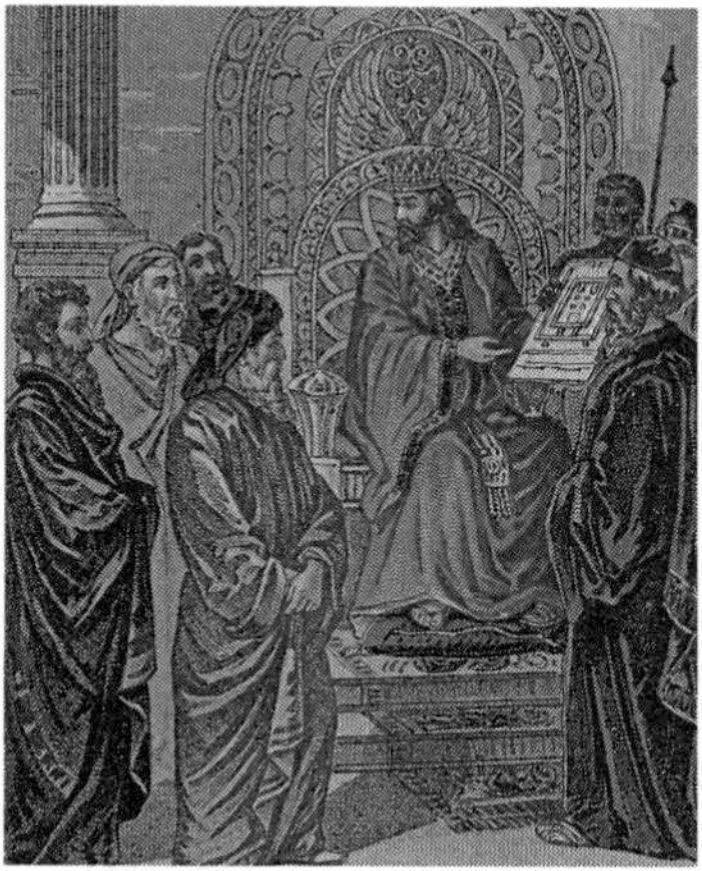

ソロモン王

自身もユダヤ人であるデービッドは、困惑しきった顔つきできいた。

「実は私、殺害されたヘルマン氏にお会いしたことがあるのよ。日本の諏訪大社《すわたいしゃ》という古い神社で。そこの宮司さんとお父さんは知り合いでね。ある日お父さんと二人で行ったら、そこに来ていたのがヘルマン氏だったのよ。で、ヘルマン氏

イスラエル人の歴史

■ 失われた十支族（北イスラエル王国）

■ 後年ユダヤ人となった二支族（南ユダ王国）

“The Flight of the Prisoners” by James Tissot

がいうのよ。アミシャブは『失われた十支族』を探すイスラエルの調査機関で、『失われた十支族』のいくつかは絶対に日本に来たと。すでに予備調査は終えていて、これから正式に日本を調査すると」

それはあり得ないでしょ、と賢司は直感的に思った。

脇ではデービッドも、どうやらトンデモ話を信じてしまった友人の母に失礼にならないよう、かろうじて笑いをこらえている。

「お母さん、それを信じるのはちょっと無理だよ。第一、顔かたちが全然違うじゃない」

日本のテレビインタビューにて「私はたくさんの十支族が日本に来ていると信じています。2007年の2月から日本での調査を開始します!」と話したアミシャブ代表のラビ・アビハイル氏

「私も同じことをいったのよ。そしたらアミシャブは一九八〇年代、ミャンマーのシルシン族が失われた十支族のマナセ族の一部であるということを発見して、イスラエル政府もこれを認めたのよ。すでに約八百人がイスラエルに帰還して永住しているのよ」

「えっ？　ミャンマーですか？」

デービッドの大きな声だった。その目は三角で、さすがに驚きを隠せていない。

「ええ。彼らの顔つきは、日本人とまったく同じモンゴロイド系なのよ」

ミャンマーで発見されイスラエルに帰国したマナセ族

母の曇りのない表情を見ながら、賢司は信じていた何かが一つ根底から覆されてしまいそうな衝撃を感じていた。歴史が専門だった自分も、こんな話はきいたことがない。

「お父さんがいうには、古代イスラエルと日本では共通なことがありすぎるって。それも、間の韓国、中国、インドなどには一切なく、偶然では確率的にあり得ないと」

「お母さんが日本で感じた古代イスラエルと共通することって、例えばどんなこと？」

「例えばさっきの文字よ。あれは日本人もよく間違えるんだけど、カタカナじゃないわ。古代のヘブライ人が使っていたアラム語の文字よ。いまでも覚えているんだけど、私、初めて日本に行ったとき、空港の自動販売機に日本語で〝コカコーラ〟と書かれていた字が、日本語を知らない私にも読めたとき本当にビックリしたのよ」

そういえば度会氏もカタカナと間違えていた。しかも、その発祥自体が謎だとも――。

イエナンはタブレットでユダヤ人の言語学者が調べあげたというヘブライ語と日本語のカタカナの比較表を示した。

――確かに似ている。しかし文字だけを輸入することは、歴史のなかではよくあったことだ。実際、満洲文字のルーツを辿《たど》れば、シリア文字に行き着くことは学術的に確立されている。賢司が反論すると、イエナンはまったく動ぜずに、ヘルマン氏が日本語とヘブライ語の間には三千語を超える同じ意味、同じ発音の言葉があるといっていたと伝えた。

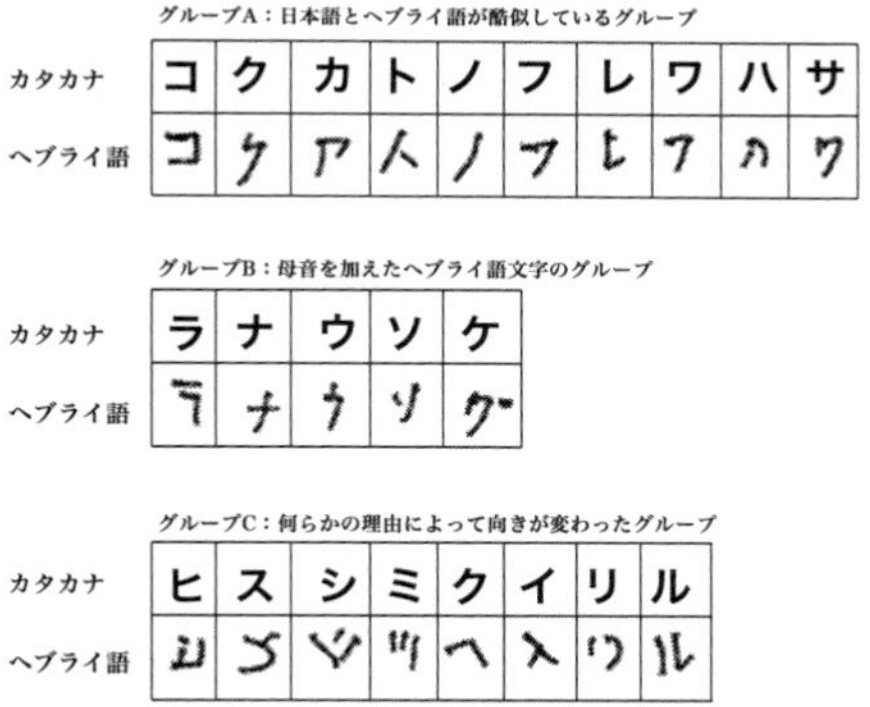

カタカナとヘブライ語文字の対比(ヨセフ・アイデルバーグ氏の研究より)

イエナンの話は、日本と古代イスラエルにしか存在しない習慣の共通点にも及んだ。穢《けが》れという考え方や、相撲《すもう》でも取り入れられている塩で清めるという習慣——。

正月に日本で食べる餅と、ユダヤ人が食べる同じように発酵させない『マッツァ』。マッツァは、鏡餅と同じように平らにして祭壇《さいだん》に捧げられるそうだ。このほか、七日間の正月。十五日目に食べる七草粥《がゆ》とユダヤの律法に記された苦菜。十三歳の元服などなど……。

「とにかく一つひとつはこういう小さなこと。単に、偶然の一致とも思えるような。でもこんな調子で、日本と古代イスラエルの生活の共通点を一日中話すことができるのよ。偶然にしては多すぎるのよ」

ここまできくと、たまらない様子でデービッドが嚙《か》みついた。

「お母さんのいうような共通点があることは私もわかります。それらがイスラエルと日本だけに存在する共通点であることも。でもですね、やっぱり偶然は偶然ですよ」

脇では王も申し訳なさそうに相槌《あいづち》を打ったが、賢司にはデービッドの議論のほうが引っかかった。結論は無論、デービッドに賛成だ。しかし理路だけで判断すれば、デービッドのほうがよほど感情的だしロジックにさえなっていない。

するとイエナンが、思い出したようにタブレット上で写真を忙《せわ》しなく検索した。

「これ不思議でしょ？」

決意

祝詞《のりと》の奏上とともに祭祀《さいし》が了《おわ》ると、小橋直樹は無言で自分の部屋へ戻ってきた。普段着の白衣《はくえ》と袴《はかま》に着替えるためである。

ふと気づくと、スマートフォンのバイブレータが静かに震えている。小橋は、番号を確認すると緊張した面持ちでボタンに触れた。

「斎主《さいしゅ》、準備は整いました」

気を落ち着かせながらこたえた。

確かめるような沈黙が続く。

「――大丈夫か、小橋？」

「はい」

「忘れるな。魂に刻み込むんだ――」

小橋はそっと目を閉じた。

一八八九年二月十二日、小橋の曾祖叔父小橋正彦《まさひこ》は、当時の文部大臣森有礼《もりありのり》を日本刀で斬りつけ暗殺した。

前年、大臣は、伊勢神宮のご神体《しんたい》、八咫鏡《やたのかがみ》を見たと公言していた。歴史上誰も見たことのない、天皇でさえ口に出すことを憚《はばか》っているご神体である。文部大臣という公の立場と権力を利用して、伊勢神宮の神官を欺いたのだった。

森有礼文部大臣

正彦は何のためらいもなく森有礼を日本刀で処刑したのである。
小橋は心のなかで、曾祖叔父の想いをいま一度思い起こしていた。
神のために命を捧げることには何の迷いもない。だが一つ心残りなのは、人を意図的に殺害し、血で穢《けが》れた身体《からだ》を持つ者は神職に戻れないという掟《おきて》であった。

しかし邪念を振り切るように瞼をパッと見開くと、小橋は語尾に力を入れてこたえた。

「大丈夫です」

元初の最高神

ブラウザーがネット上から拾った写真には、人間を模《かたど》った素焼きの焼き物がいくつも映し出されていた。イエナンが度肝を抜かれたという、千葉県芝山《しばやま》町の古墳から出土した埴輪《はにわ》の写真だった。

確かにかぶっている帽子、スッキリした鼻筋、すらっとした頬骨と輪郭、多くの東アジア人が遺伝的に生やせない立派なアゴヒゲはどうみても日本人に見えない。しかし賢司が釘づけになったのは、耳元に垂れ下がる〝みずら〟と呼ばれる丸めた髪の毛だった。まったくユダヤ人そのものなのだ。反射的に、賢司はレビ記のある一節を思い出していた。

あなたがたのびんの毛を切ってはならない――。

賢司は、こんなものはこれまでユダヤ人でしか見たことがなかった。

呆気《あっけ》にとられているみんなを尻目に、イエナンは頭に奇妙なものをつけて笛を吹くユダヤ人ラビと日本の山伏の写真を突きつけた。

芝山古墳群出土埴輪（所蔵:芝山仁王尊・観音教寺
展示:芝山町立芝山古墳・はにわ博物館）

ユダヤ人男性のペイオト

左:山伏　右:ユダヤ人ラビ

しかしデービッドは、まだ全然納得していないようだ。

「だって一番明確なのはユダヤ教は一神教だし、日本の神道は多神教じゃないですか」

だがそれには賢司が横から反論する。

「いや、そこのところはちょっと違うんだよ――」

どういうことだよ、と気色ばむデービッドに、賢司は宗教的に北イスラエル人が背教したために国が滅びたことを説明した。実際、旧約聖書にそう書いてあるのだ。当時はアシェラやバアル神を信じている者もいれば、ヤラベアム王にいたっては二つの金の子牛をつくって民に崇拝するよう命じた。つまり王国崩壊当時、十支族は多神教者だったのである。

その背教した彼らが日本に来て一神教を信じていなくても、理論的にはおかしくないし、そのほうがかえって自然だというのが賢司の考えだった。

「そういえば彼らは太陽信仰をもち、東方に憧れも抱いていたんだよ。ほら、――」

賢司はそういうとブラウザーで検索し、聖書の一節を読み上げる。

「『主の宮の本堂に背を向け、顔を東の方に向けて、東の方の太陽を拝んでいた』エゼキエル書、八章の十六……と、北イスラエル人のことをいっている。こんなこと、ユダヤ教じゃありえないよ」

「でも資本主義の心臓部のような場所に長年働いていた賢司が、そんなに聖書に詳しい

金の子牛を偶像崇拝するユダヤ人

なんて初めて知ったぜ」

そう呆れ顔で引き下がるデービッドに、

「ああ、まあね。歴史を深く勉強しようとすると、宗教も掘り下げて理解しなければちんぷんかんぷんになるんだよ」

というと、急にイエナンが、まるで義務であるかのごとく憑《つ》かれたような顔で語り出した。

「残りの二支族がいた南ユダ王国も背教がひどかったけど、一部はヤァウェを信じ続けて一神教を守っていたわ。そんななか、国が滅び行く趨勢《すうせい》にあると神から知らされたイザヤが憂い、預言した言葉がさっきの言葉。——しかも聖書は、それが東の果てにあり、現在でも栄えている、聖書を知らない島の王国と示唆しているのよ」

いまでも栄えている、聖書を知らない東の果ての島の王国？

賢司はイスラエルより東の国をざっと思い浮かべたが、確かにそんな国は思いつかなかった。

もちろん、日本以外には——。

「南ユダ王国の一派も来たとすると、日本にも一神教があったということですか？」

太陽を信仰し東を拝む北イスラエル王国人

預言者イザヤ

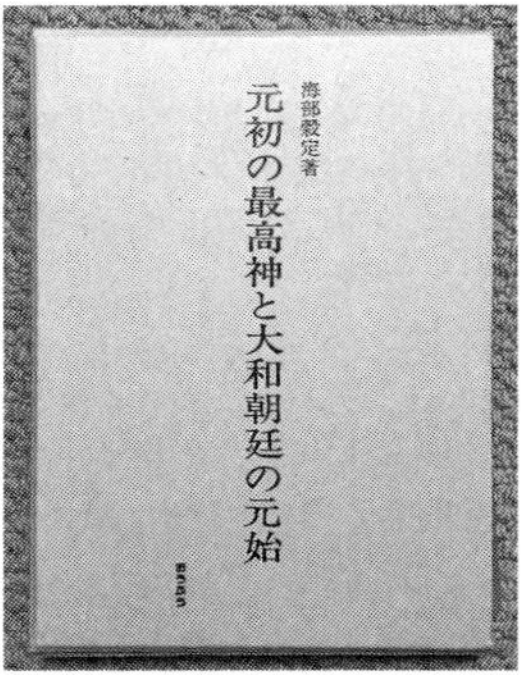

『元初の最高神と大和朝廷の元始』

デービッドはユダヤ人らしく、一神教にこだわっていた。

が、イエナンは、バッグから薄茶色の函《はこ》に覆われた分厚い一冊の本を取り出した。

「これは第八十一代宮司の賢司のお祖父さんが書いた『元初の最高神と大和朝廷の元始』という本よ。あなたに渡すように送られてきたんだけど、忘れてしまって。今日いい機会だから持ってきたんだけど、デービッド、ここの付箋が貼ってあるところ読んでくれる？」

ＯＫ、といいながら本を覗き込むデービッドの眉間に、深い皺が切り込まれた。

「神道の本質は多神教ではなく、唯一絶対神信仰。もともと元初の最高神がいた——」

賢司の頬が一気に紅潮する——。

「唯一絶対神信仰だって？」

ユダヤ人が背教し多神教の神々も信じていたという話は、ある意味有名な話だ。しかし、日本人が一神教のような元初の最高神を信じていたなんていう話は、仮説でさえきいたことはない。賢司はたまらず呟いていた。

「僕、日本に行こうと思う。父の最後のメッセージを探りに。それが父の死の原因にも繋がっている——何でかわからないけど、絶対にそう思うんだ」

「気持ちはワカルけど、深入りしないほうがイイんじゃない？　忠告を受けたヨウダシ——」

王はそう釘を刺したが、諦め口調で言い直した。

「まぁ、賢司のことダカラ、一度決心したら何イッテも曲げないとオモウけど——。デモまぁ、ソノ無類の石頭はいま始まったワケじゃないから、いまさらこんな愚痴をタレてもショウガナイんだけどね——」

賢司は、面映ゆそうなニヤつきを口元に溜めながら王に頷くと、

「な、みんなも行こうよ。デービッド、昔の彼女もまだいるかも知れないよ？」

いわれたデービッドは、白い歯を見せながら思いあぐねている。

意外にも最初に決断したのはイラージだった。

「僕はいま夏休みだし、ついでにオックスフォード時代の親友に会って、最近どんな研究をしているか話したいから、僕はＯＫ」

それをきいた王が、「じゃ、僕も」と呟くと、最後にデービッドも加わった。

「じゃあ、俺も暇だから、古い彼女じゃなくて新しい彼女を見つけに行くぜ」

賢司が相変わらずだな、といいながら薄ら笑いを浮かべたとき、ウェッカー警部から電話で質問されたことを思い出した。

「あっ、そういえば最後にウェッカー警部から質問されたんだけど、バーテンダーによ

ると、あの晩ヘルマン氏は父とバーで話しながらメモを取っていたらしいんだよ。で、それが死体の近くにあった聖書に挟まれていたんだって——」

そういいながら賢司は、ポケットからメモ用紙を摑《つか》み出し机の上にポンとだした。

伝統と理性

休憩時間になると小橋は自分の部屋に戻り、下鴨神社の宮司であり父である小橋道久《みちひさ》宮司への退職願をしたためていた。

想えば小橋宮司はこれまで養父として、実父に勝るとも劣らない愛情を注いで育て上げてくれた。神職になってからも、常に正しい方向に導こうと陰に陽に厳しさをもって接してくれた。その恩は等閑に付せない。

しかし小橋には、無視しようとしても無視しきれない伝統の血が流れていた。

八瀬童子《やせどうじ》——。

この血脈の重みは忘れるはずもない。

明治天皇の棺を担ぐ八瀬童子（大喪の礼）

二千年の伝統が自分の時代で途切れようとしたとき、小橋の実父は自らの命を絶った。昭和天皇が崩御《ほうぎょ》されたとき、その日はやってきた。民族の記録がある限り、天皇の棺を担ぐという大命を任されてきた一族の誇りをかけて父は準備を進めていたのだ。

アメリカが押しつけた民主主義とはそんなに優れたものなのか？

理性とは、久遠の民族の歴史のなかに残り続けた伝統や習慣を排除できるほど高次なものなのか？

「警備上の理由」という架空の理由で、いとも簡単に民族の伝統は破壊された。一族の誇りは打ちのめされた。棺は日本の歴史が始まって以来初めて、ただ試験に受かったという資格しか持たない公務員が担ぐことになったのだ。

小橋が生まれる前から伝統の崩壊と自らの死をどこかで予感していた実父は、まだ可《か》愛《わい》い盛りの大切な一人っ子の小橋を、下鴨神社の小橋道久宮司に託したのだった。

成長するにつれ、何が起こったか次第にわかり始めた。同時に、その何かに対するやりどころのない憤りを感じ始めた。

やがて憤りは、決意となって魂の奥底に現れた。

「そんな危険な考え方は捨てて、世界や日本の平和を祈りなさい」

宮司の優しい言葉はいつもありがたかった。しかし父を殺した戦後の何かが憎かった。

何が日本人の精神のかたちを崩壊させようとしているのか。

実父の代わりとなって、自分を温かく育ててくれた宮司を裏切るのは忍びない。しかし、これ以上日本の精神が弱体化していくことは許せない。実父を死に追いやったものを許すわけにはいかない。

小橋はその想いを、一字一字綴り始めた。

鳥の絵

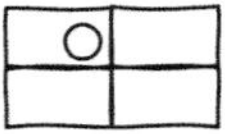

イウスの丘の触らぬ柱

モリヤ山で捧げる鹿の頭

シルクロードの三本柱

ヨルダン川の銅鳥居

□□□□

天岩戸開き

「ナンダ、これ？　鳥だって？」

小バカにしたような口調でいった王は、せせら笑いを堪《こら》えている。

「うん、ウェッカー警部は、一番上の鳥の絵は手描きの簡単な絵で、何の鳥だかわからないって。でもあえていえば、クチバシが大きくてカラスに似ているっていっていたな」

デービッドが賢司に厳しい視線を上げた。

「カラスだって？　確か、古代エジプトではカラスは太陽の鳥で、ギリシャ神話でも太陽神アポロンに仕えていたぜ。あ、でも、旧約聖書のノアの方舟の大洪水――あのあと、偵察として初めて外に放たれたのがカラスだったな。次は鳩《はと》だけど」

僅かな沈黙のあと、王が冷ややかに呟く。

「じゃあ、そのシタのヘンなマークは?」

みんな、一斉にメモに視線を戻す。

「俺には何かの旗に見えるぜ」

ポツリといったデービッドの言葉に、王が顔を歪《ゆが》めた。

「でも、ソウだとしたらチョット変な形だね——チガウんじゃない?」

「恐らく、何かが中心から外れているという意味だ」

鋭い声で口走ったのはイラージだ。

半テンポ遅れで、みんなの鼻から頷くような小さな音が洩れる——。

だがすぐ、デービッドが定番の横柄な口調で沈黙を破った。

「じゃ、その隣りの〝イウスの丘の触らぬ柱〟が中心からずれているということかよ?」

「多分ね——。イウスも触らぬ柱も知らないけど」

「イウスはエルサレムの昔の地名よ。で、下のモリヤ山はソロモン神殿があったところ」

割り込んだのはイエナンの抑揚のない言葉だった。

すると、冷笑しながら王が、

「デモ、いくらナンでも、鹿の頭って——。ソロモン神殿で鹿の頭を捧げてイタのか?」

「それは絶対ないぜ。捧げていたのは羊だからな——」

そうこたえたのはもちろんデービッドだ。実際、聖書にはユダヤ人がソロモン神殿で羊を捧げていたことが記述されているのだ。

「じゃ、〝シルクロードの三本柱〟って何かわかる、イラージ？」

次の行を賢司から振られたイラージは、即座に首を一回左右に捻《ひね》りながら、

「NO。これは情報が少なすぎる」

ここでデービッドがメモを指しながら声高に疑問を呈した。

「ちょっと待った、これおかしいぜ。なんでヨルダン川に銅鳥居があるんだよ？」

ヨルダン川はヘブライ人がエジプトを脱出し約束の地カナンに向かう途中、エリコに入る直前に渡った奇跡の川である。キリストがヨハネから洗礼を受けたのもヨルダン川であったし、そこに銅鳥居があるわけがない。

が、またしてもイラージが見事な断案を下してみせた。

「〝ヨルダン川〟は日本国外で、〝銅鳥居〟が日本のもの。——そう考えると、ほかの三つも初めの言葉が日本国外で、あとの言葉が国内——それが一番メークセンスする」

「ということは、俺たちは日本で、〝触らぬ柱〟〝鹿の頭〟〝三本柱〟〝銅鳥居〟を探せばいいということかよ？」

デービッドの斜め上からの切り返しに、イラージは易々《やすやす》と「と思う」とこたえる。

「じゃ、その下の四つの四角は？」

非難めいた視線で投げられた王の問いも、呆気なく退けた。

ヨルダン川とキリストの洗礼

「多分、そこには何かの四文字が入るんだと思う。解のように一番下に書いてあることから考えても、その四文字がこのメモの最大のポイントだ」

「でも文字を入れるボックスだとしたら、なぜブランクにしたんだろう？」

引っかかった賢司が即座に尋ねた。イラージは小首を傾げながら、

「それは――、恐らく、彼ら自身もそれが何だかわからなかったか――」

そういい、鋭い眼のまま気後れしたような間を置くと、今度はちょっと自信ありげにいった。

「もしくは、こちらの方が可能性が高いと思うけど――、その四文字があまりにも畏れ多いと思ったか、それとも、何かの間違いで白日のもとにさらされることが危険と判断してわざと書かなかったかのどちらか――、もし

くはその両方だ」

隙を突かれたようなみんなの鋭利な視線が、イラージに突き刺さった。

しかし王はすぐにしかめっ面に戻すと、ぶつくさとまた絡んできた。

「デモ、そうだとしたら、ドウやって俺たちはそれを探すんだよ」

潔く、イラージはすぐさま首を振る。

「それはわからない。日本に行かないと」

確かにそうかも知れない、という空気が流れたとき――、

デービッドが持っている本から一枚の絵がするりと抜け落ちた。

あっ！　と緊張感で締めつけられたような時間がピタリと止まる。その絵だけが木の葉のようにひらひらと舞い降り、やがて床に張りついた。

恐る恐る賢司が拾い上げる。横穴洞窟の岩戸を誰かがこじ開け、なかから女神が天日《てんぴ》とともに立ち顕《あらわ》れる場面を描いた浮世絵のようだった。

春齋年昌画

「アマテラスよ。日本神道の最高神であり、太陽の女神。天皇家の先祖、つまり皇祖神《こうそしん》でもあるの」

覗き込んだイエナンが呟いた。

学者っぽい平坦な口調で賢司がそれに反応する。

「最高神は女神なんだ。珍しいね。太陽神が女神というのも日本だけじゃないかな？」

「この絵は、みんなでアマテラスを洞窟から引き出した神話の絵よ。アマテラスは弟スサノオの悪戯に怒って洞窟に隠れてしまったの。そしたら世界が暗闇に覆われてしまった。この絵はアマテラスをみんなで引き出し世界が再び光に満ちたという、日本神話で最も重要な場面を描いた絵だわね」

賢司は押し黙った。母の話はわかる。だが——、

「でもなぜこの絵を僕に？」

「わからないわ——。私が知っているのは、日本の神話のなかでアマテラスが主人公として登場するのは、なぜかこの〝天岩戸《あまのいわと》開きの神話〟たった一つということよ」

絵を睨みつけていたデービッドが、厳《いか》つい目つきのまま顔を擡げた。

「最高神なのに、たった一つなんですか？」

「ええ、そう。賢司のお父さんは、まるで最初にほかの日本神話があって、そこにあとからこの〝天岩戸開きの神話〟をくっつけたみたいだっていっていたわ」

「故にアマテラスの真価、秘密は、その神話、つまりこの絵のなかに凝縮されている

——」

哲学の命題のようなそのイラージの呟きをききながら、賢司はこの絵のなかに父の命のメッセージが隠されているような気がしてならなかった。

もう一度、穴のあくような目で凝視してみる。と——、

ある思いが込み上げてきた。

「なんか、この絵、どこかで見たことあるような絵だね……」

意図

社務所《しゃむしょ》を抜け出すと、小橋は千歳不変の参道を奥へと歩き始めた。

悠久の杜《もり》に初鳴きの熊蝉《くまぜみ》が騒々しく鳴きしきる。やさしい煌《きら》めきが、樹齢五百年のケヤキや椋《むく》の狭間から洩れ込んでいた。

小橋は何か鴻大《こうだい》な変化の胎動を感じていた。

決定的だったのは、GHQが日本の皇位継承権のある皇族を大きく削減したことだ。奴らは、法律を再改正させないよう裏から圧力をかけ続けた。主導したビッソンは、民主化の名の下に、日本弱体化計画を推進したソ連のスパイであったことも判明している。日本の将来に対する意図と悪意は明らかだ。

この四十数年間、皇位継承権のある男系男子はたった一人しか生まれていない。この

ままでは二千年以上、百二十五代も続いた世界最長のロイヤル・ファミリー、日本の天皇家の血統が断たれることは目に見えている——これは奴らが仕掛けた時限爆弾なのだ。

天皇家と神道を守り、諸外国からつけ込まれる隙を取り除かなくては。

その日が来るまでは、秘密も絶対に守り抜く——。

深い木陰が一層暗くなった最も暗い場所に、その物置小屋はあった。小橋は近寄ることに足音を消し、入口のドアに手をかけた。息を止める。

誰もいない。

錆《さ》びかかった鉄ノブを、こっそりと捻った。

窓一つない小屋には光はほとんどない。内側から鍵をかけ、一番隅の床板を外し、細長い木箱を取り出した。

これが何度、日本を救ったことか。何度、日本人の精神のかたちを救ったことか——。

小橋は木箱を開けた。正絹の平紐を解き、清い香を感じながら檜蓋を開ける。鮫鞘《さめざや》からそっと抜き出してみた。その瞬間、青白く冷たい刀身に部屋中の光が集まり、鋭い閃光《せんこう》が走った——。

面前に持ち上げて太刀《たち》を仰ぐ。——錆は微塵もない。

しかしいつ命が下ろうとも、完璧に遂行するための準備を怠ることはできなかった。

小橋は錆止めの丁字油《ちょうじゆ》をゆっくり太刀に塗り始めた。

相手に個人的な恨みはなかった。しかし二千年の伝統の重みには代え難かった。

これ以上の攪乱《かくらん》は食い止めなければならない。そのためには神の道を守り、日本の秘密を守り抜かなければならない。

その日が来るまでは――。

小橋は二本目の小刀に丁字油を塗り終わると、また静やかに木箱に戻した。そろりと上蓋で覆いながら、蓋面に彫り込まれた大きな符丁《ふちょう》を打見する。

それは、白木《しらき》の杢目《もくめ》に鮮やかに浮き上がる漆黒の烏《からす》だった。

不思議な星

賢司は三人とともに、東京直行便の飛行機に飛び乗った。

ニューヨーク時間ではもう深夜。暗号解読に疲れきったみんなは、すでに寝静まっていた。闇に覆われた機内では、ところどころに灯《とも》る柔らかい読書灯と、乾いた空気にゴーッと響く固いエンジン音のコントラストだけが際立っている。夜空に消えていく星々のように、その微かな光が賢司の思考を照らし出していた。

父が死んだ――。

父亡きいま、父が生まれ育った日本を訪れようとすると、逆に自分が日本と過去から切り離されていくように感じる。疎遠だった歳月もまるで嘘のようだ。

賢司はその不思議な寂しさに押しつぶされそうになりながら、改めて自分の立ち位置を見つめ直そうと試みた。

自分は父と繋がっている。日本と繋がっている。日本の歴史とも繋がっている――。

そのはずだった。

しかし父が生まれ育ったその日本とは、一体どういう国なんだろう？

幼いころ父と自在に話していた日本語は、とっくの昔に錆びついていた。〝日本〟といわれて思いつくのも、サムライ、折り紙、禅、エレクトロニクス、アニメといったありきたりなイメージばかり。思えば、父の面影と重なるものは無意識のうちに遠ざけてきたからかもしれない。

この歳になるまで知らなかった自分のルーツを探る期待と不安がもつれ合い、なんともいいようのない不思議な感情へと混ざり合っていく。家族や民族の歴史を知らずに過ごした空白は、自分のアイデンティティにどのような影響を及ぼしているのだろう？そして、一体、父を死に追いやったどんな歴史のタブーが、これから待ち受けているのだろうか――。

歳月が彫り込んだ経験のなかで、賢司は自らのルーツについての知識が極めて乏しいことを改めて痛感する。その事実が落とす影は、包み込む夜空のように暗く、深く、避けがたいものであるような気がしていた。

そんなことを考えていると、出際《せ》に母から受け取った手紙のことを思い出した。リュックの外ポケットから引っ張り出し、急き込みながら封を開けてみる――。

出てきたのは、メモ帳に走り書きしたような見慣れた母の手書き文字だった。それは、賢司が掘り起こそうとしている過去のひとつの痕跡であり、これからの旅路に光を投げかける一筋の道標でもあった。

「最愛の賢司へ——

ニューヨークでは、あまり時間がとれなくてゴメンね。これまであえて伝えていなかったことも、本当はゆっくりお話ししたかったのに。この手紙もローマに発《た》つ前に急いで書いているけど、ニューヨークに戻ったら必ず詳しくお話しするわ。

でも賢司が日本に行くというので、お父さんの神社のことで思い出したことがあったから伝えておきたかったの。役に立つかどうかはわからないけど、参考にはなると思うわ。

あなたのお父さんが宮司だった神社は籠神社《このじんじゃ》といって、日本で最も古く由緒《ゆいしょ》正しい神社の一つ。でも、この神社はただ古いだけではないの。とても不思議な神社で、お父さんはいつも日本の秘密とタブーが凝縮された神社だといっていたわ。

お父さんは籠神社の第八十二代宮司だけど、籠神社はなんと初代からずっとお父さんの家族の家系、海部《あまべ》氏が宮司を務めてきたの。籠神社がいつ創建《そうけん》されたか不明だから正確にはわからないけど、恐らくは二千年以上もの間ずっと——。

ちょうど私がお父さんと日本にいた一九七五年のことだったわ。賢司のお祖父さんで第八十一代宮司の海部忠彦《ただひこ》宮司が、それまで神社の秘伝であった家族の系図、『海部氏

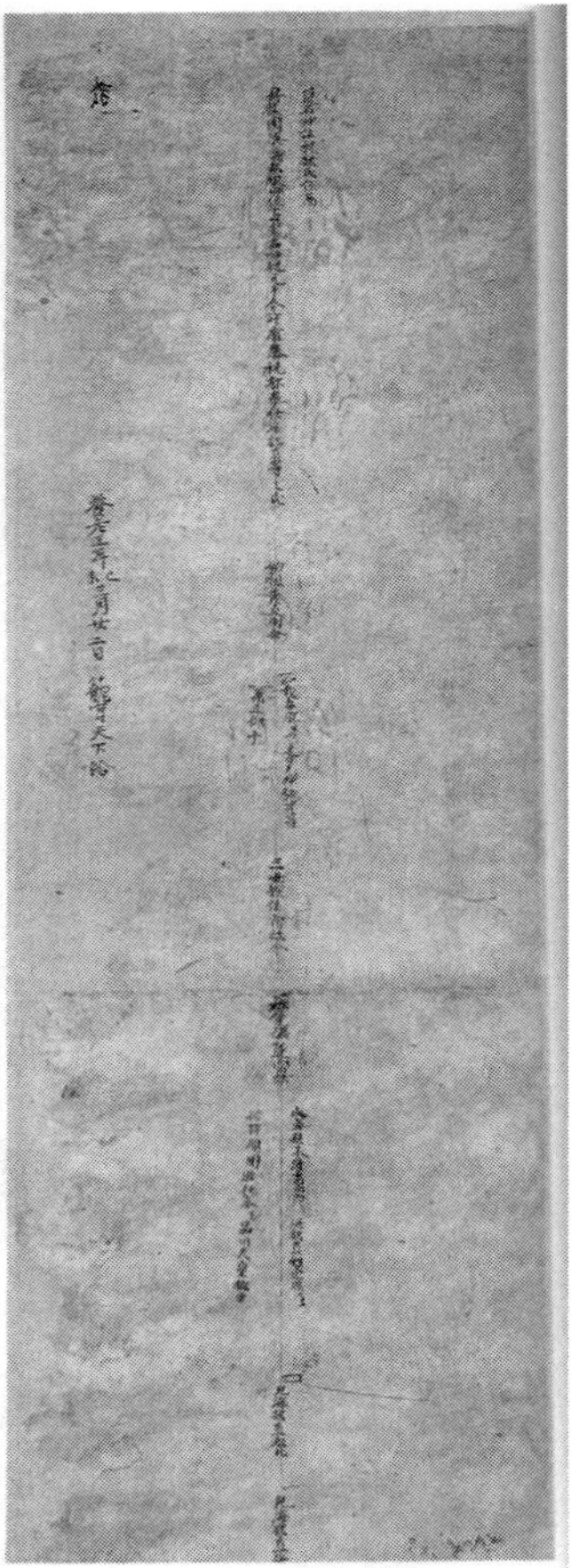

国宝:海部氏系図

系図』を公開したの。そしたら現存する日本最古の系図ということで大騒ぎになり、翌年いきなり系図としては初めて国宝に指定されたのよ。

——そこには日本の伝説上の女王、卑弥呼《ひみこ》かも知れないといわれている日女子《ヒメコ》が記されているなど、いくつもの驚きの事実が隠されているらしいの。

でも、日本の歴史にそれほど詳しくない私でも驚いたことがあるのよ。その家系図に記載されている海部氏の始祖、つまり賢司の最初の先祖はホアカリといって日本神話にアマテラスの孫として登場して、そのホアカリの弟から三代下ると初代天皇である神武《じんむ》天皇なの。つまりお父さんにも、あなたにも、日本の天皇と同じ血が流れているのよ」

賢司はぼんやりとした目つきで同封された系図を一瞥すると、水をひと口含み、唾を一気に飲み込んだ。

自分が日本の天皇家と同じ血を引く人間？

でもよく考えれば、二千年以上も家系図を遡れば、まあ、そんなこともあり得るのかな、ぐらいに思えてきた。再び視線を戻し走らせる。

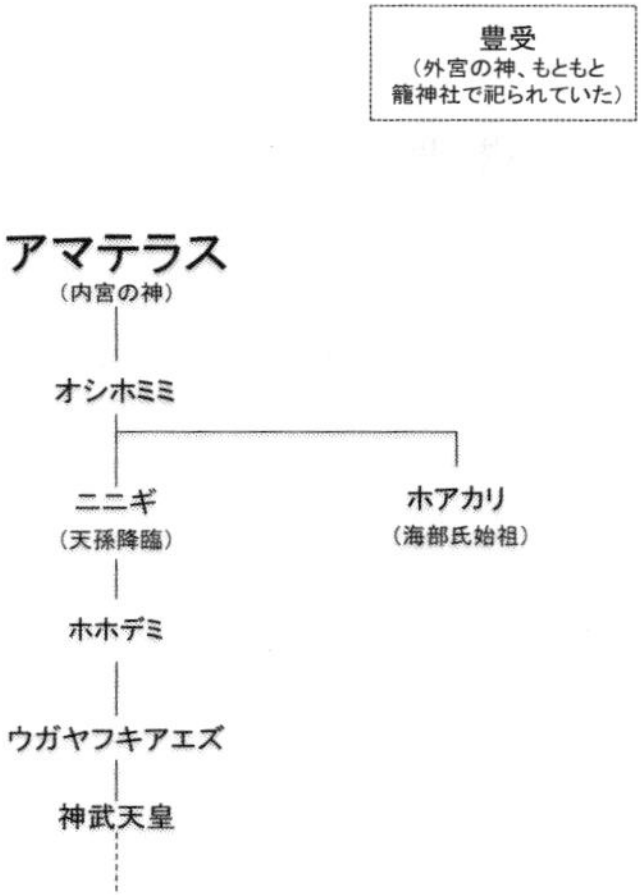

「この前、お父さんからもらった本からアマテラスの絵が落ちてきたでしょ？
アマテラスは約十二万社あるといわれる神社のなかでも、最高位の伊勢神宮に祀られる神道の最高神よ。
でもアマテラスは最初から伊勢神宮に祀られていたわけではないの。もともとは宮中《きゅうちゅう》にいて、その後二十カ所ぐらいのところを転々としたあと、最終的に伊勢神宮に落ち着いたの。で、宮中を出たあと最初に祀られた場所は不明なんだけど、二番目が籠神社だったのよ。
その伊勢神宮には多くの神々が祀られているんだけど、アマテラスのほかに唯一同じくらい大事に祀られている神がいるの。アマテラスの食事のお世話をするといわれている豊受《トヨウケ》という神。

　この豊受も、実は伊勢神宮に鎮座する前は籠神社で祀られていたんだけど、何かの理由で直接伊勢神宮に遷《うつ》った――つまりお父さんの籠神社は、伊勢神宮の最高位の二神が両方とも祀られていた神社なの。

　こんな神社はほかにないと、いつもお父さんはいっていたわ。つまり籠神社は、単なる元伊勢《もといせ》ではなく伊勢神宮の起源だと――」

　賢司は自分も関係する神社が、皇祖《こうそ》神《しん》を祀る伊勢神宮と深く関係した神社であることに意外さを感じていた。

「でも私が本当にビックリしたことを教えるわ。日本の大きな神社は、いく

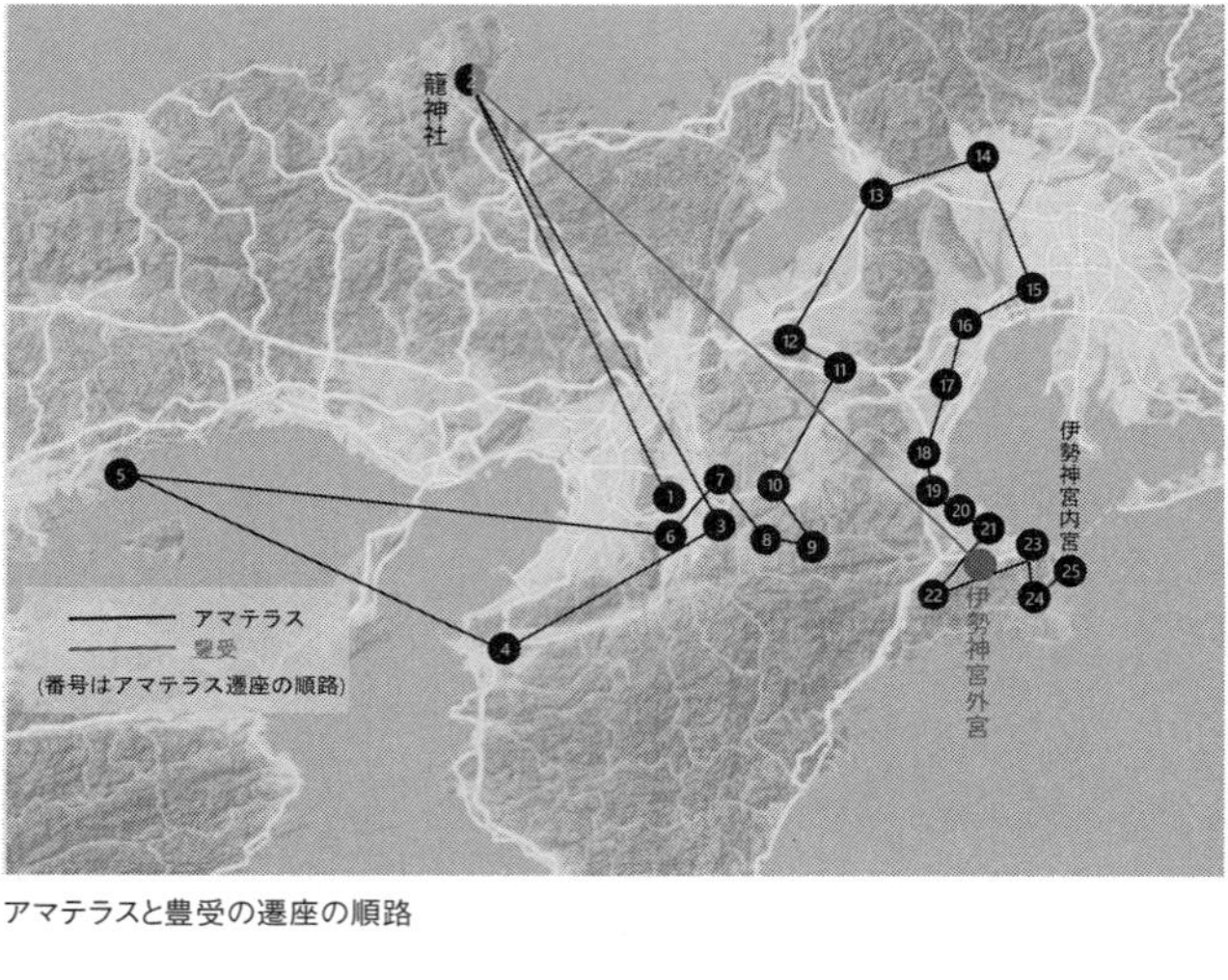

アマテラスと豊受の遷座の順路

つかの社を持っていることが多いの。籠神社にもいくつかあるんだけど、そのうち最も古く、籠神社発祥の神社ともいわれているのは真名井《まない》神社という奥宮《おくみや》。で、神社は通常、神紋《しんもん》という自社のロゴマークみたいなものを持っているんだけど、ある日、真名井神社の神紋を見たときは、本当に背筋が寒くなったわ。なんとそれがこのマークだったのよ！」

暗闇のなかで恐怖に似た感情が思わず、えっ？　と裏声になって洩れた。

父の神社のロゴマークが六芒星《ろくぼうせい》？

六芒星——。別名、ダビデの星。現在のイスラエルの国旗の中心にも描かれている、ユダヤ人にとっては神聖な図形であり、ユダヤ教、ユダヤ民族を象徴する印だ。

さすがに賢司もこれには驚愕《きょうがく》した。

これも単なる偶然として笑い過ごすべきか？

皇祖神であり、神道の最高神を祀る最高位の神社、伊勢神宮。そこに祀られる二神が、もともと鎮座していた日本唯一の神社が父の籠神社。

——ここまではいい。

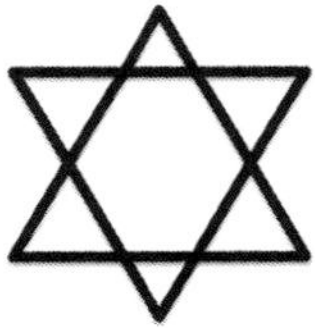

真名井神社入口の石版

イスラエル国旗

しかし、その籠神社の発祥の神社、真名井神社の神紋は、なんと、六芒星――。

これは一体何を意味しているのだろうか?

いや、こんなことがそもそもあっていいのだろうか?

賢司は戦慄で体が強《こわ》ばっていくのを感じながら、最後の文章を読んだ。

「最後に、私がヘルマン氏とお会いした諏訪大社で度肝を抜かれたことを教えるわ。その一番古いお宮は前宮《まえみや》というんだけど、そのご神体はなんと守屋《モリヤ》山という山なのよ!」

今度はしゃくるような呻《うめ》き声が、腹の深いところから洩れた。

神が宿る山が守屋山?

モリヤ山は、ユダヤ教でも神が宿る最も神聖な山だ。モリヤの神といって、聖書の神を想像しないユダヤ人はいないほど重要な山である。

それが諏訪大社のご神体?

賢司は、いま自分がいる場所が底知れない謎の縁であるような気がしてきた。これまで築いてきた歴史観が、音を立てながら瓦解してしまう不吉な予感に揺すぶられていた。

何かあるかも知れない。自分が勉強してきた歴史とは異なる何かが――。

だが賢司はそれを認めたくなかった。偶然であってほしい。いや、絶対に偶然のはずだ。

しかし否定すればするほど、そうしている自分のほうが、よほど感情的であるような気がすることにも気づき始めていた。

警戒の六芒星

二十一世紀調に再現されたコンクリート製のエルサレム神殿を思わせるその荘重な建物を、ヴォルターは前を通り抜ける車のなかから警戒の眼で見上げた。

渋谷区広尾《ひろお》の日赤《にっせき》通りと駒沢《こまざわ》通りを繋ぐ路地に、それは建っていた。日本ユダヤ教団。——以前はこんな建物ではなかったはずだが。

ヴォルターがそう思ったように、それは二〇〇九年に建て替えられていた。以前、オレンジ色のキャンバスのようなファサドに異彩を放っていた特大メノラーのデコレーションと大きなダビデの星は、跡形なく取り除かれていた。

かわりに大判のグレー・タイルで控えめに描かれていたのは、幾何学的な図形模様の一部としてさりげなく組み込まれた無数の六芒星だった。入口横に神社の神紋のように刻まれたダビデの星も、どこかひっそりとしている。

日本ユダヤ教団（シナゴーグ）

旧日本ユダヤ教団

これでは前を通る人の多くは何の建物か気づかないだろう。

匿名の寄付で行われたというこの建て替えは、9・11を意識した安全上の理由に違いない。もともとこの建物は、セキュリティを非常に意識した立地に建てられているからだ。

住宅地にある路地の長さは五百メートルにも満たないが、細いうえにバス通りでもある。しかも対面は学校であるため、そこに駐車をすること自体が不自然だ。カメラも気になる。だが極めつけは、なんといっても隣の建物内にある警官が常駐する交番だ。

実際、ヴォルターは今晩どこに駐車しようか迷った。

思わず数年前、内部を探ろうと、飛び込みでユダヤ教に改宗したいと願い出たことを思い出した。真剣な眼差しで懇願するヴォルターに、ラビは改宗の理由以上に経歴、家族構成など、セキュリティに関することを注意深く質問した。しかし最後に事務的に告げた。

「考え直したほうがよろしいですよ」

柔らかな口調だったが、その突き離すような素っ気ない言葉に虫唾《むしず》が走った。

ヴォルターは看破した。この返答は、数千年の歴史の不動の決まり文句だったんだと。

そのとき、ヴォルターは悟った。ユダヤ教は布教活動をしていない宗教であることを。全人類が対象でない宗教であることを。ヴォルターは、改宗の目的がたとえ嘘であったとしても、自分が受けた人種差別的な扱いに無性に腹が立った――。

駒沢通りへと続く坂をのぼりながら、そのときのラビの不遜なイメージと人を遠ざけるようなこの薄墨色の建物の冷たいオーラが、心のうちで重なった。

あのラビは、あのとき感じた警戒心が正しいものだったと今晩思い知るだろう。

今度突き離すのは俺のほうだ――。

そんなことを考えながらヴォルターは無表情にハンドルを切り、駒沢通りへと入っていった。

機内照明が一斉に点灯し、CAたちが日本語訛りの英語でおしぼりを配り始めたとき、賢司は目を覚ました。

横では王が、イラージとなにやら話し込んでいた。

「おはよう。二人とも、もう東京時間になれたのか？」

「早上好《おはよう》、賢司。ボクは、昼夜がギャクテンしたような生活ダッタからね。東京時間はアマリ気にならないのさ。いま、イラージをチョット教育していたトコロだったんだよ」

「教育って何を？」

「イヤ、イラージが、日本の天皇は日本一国しか治めてイナイのに、ナゼ王ではなくエンペラーなのかっていうから説明シテイタんだよ。——日本のエンペラーは『こうてい』ではなく『てんのう』。『こうてい』は『ローマ軍最高指導者（imperator）』を語源にする〝命令権を持つ者〟とか〝最高指導者〟という意味の言葉で、異なる漢字を使うし発音も意味もチガウってね」

賢司もその話には興味があった。軽い調子で持論を展開する。

「重要なのは、天皇は歴史上自分で自由にできる権力を持ったことがほとんどないことだよ。『君臨すれど統治せず』を歴史で体現してきたのが、まさに日本の天皇だね」

カール大帝の戴冠式

じっと黙っていたデービッドが、ここで利いた風な顔をして割り込んできた。

「それは統治のシステムとしてはプラスもマイナスもあるぜ。第二次世界大戦の時は、結局、天皇自身が自分でさえ自由にならない権力と権威だけを軍に利用されたわけだからな」

　やりとりをきいた王は、皮肉な笑みを挟んだ。

「キミたちのハナシをきいていると、本当にオメデタイよ――。マスメディアを通して一般的に信じられているコトが、真実だとオモッテイルのか？」

　デービッドはむっとしていたが、王はよそ事のように自説を展開する。

「天皇の天は英語のヘブン。皇は君主。ダカラ、ヘブンから与えられた正当性をモツ君主」

「だったら、ローマ教皇が授権したローマ皇帝とどう違うんだよ⁉」

　プライドを傷つけられたデービッドの頭には血がのぼったままのようだ。

「コレはまだハナシの半分だ。重要なチガイは、ローマ皇帝は人間として王権を受けるけど、天皇は神になって天皇にナルんだよ。ツマリ、現人神《あらひとがみ》として。人間ではない」

昭和天皇とマッカーサー元帥

「王、おまえは戦後史を知らないのか？　それは昔の話。戦後マッカーサーは天皇に人間宣言をさせたんだぜ。あれ以来、天皇は宗教的にも人間になったんだよ」

勝ち誇ったデービッドの顔だったが、王の呆れ顔はさらに崩れた。

「デービッド、ダカラおまえは陰謀がないなんていう、チンケな陰謀論にダマされるんだよ！　イイカ？　確かにオマエのいうとおりマッカーサーは昭和天皇に人間宣言を強要し、天皇は人間にナッタ。ダケドそんなもんは建前の話さ。ほら、見てミロよ――」

王はそういうと、見下すような笑みを浮かべながらスマートフォンで人間宣言の問題部分を表示した。

『天皇ヲ以テ現御神トシ、且日本国民ヲ以テ他ノ民族ニ優越セル民族ニシテ、延テ世界ヲ支配スベキ運命ヲ有ストノ架空ナル観念ニ基クモノニモ非ズ』

『天皇を神とし、そして日本国民は他より優れた民族だとし、
ひいては世界の支配者となる運命があるかのような架空の概念に基くものでもない』

「ナルホドこれをミルと、天皇は神じゃナイって否定したヨウニも読める。タダ、日本語の〝且（かつ）〟という意味は、英語版で訳サレテいるように〝そして（and）〟の意味もアルけど、〝その上に〟という意味もアル。もし昭和天皇が使った意味が後者ダッタラ、否定されたのは『天皇を神とし』自体ではなく、ソレに後段の『それで世界の支配者となる運命があるかのような架空の概念に基くものでもない』が加えられたコトだ。だったらそんなコトは単なるアメリカ人の妄想で、ソモソモ歴代の天皇はオロカ、神風パイロットでさえ信じていなかったから否定するのはムシロ当然のことさ。そして昭和天皇が発布シタのは日本語だけだから、タトエ翻訳された英語版では否定してあっても、ドチラの意味が本当だったか結論づけるのは無理ナンダヨ。つまり、真実を知ルノは昭和天皇ノミ――平たくいえば、アメリカ人は日本の役人にウマク煙に巻かれたってイウコトさ」

思ってもいなかった反論に、デービッドは悶々《もんもん》としたような表情だ。「嘘だろ？」

「ホントウさ。一般の法律や閣議決定だって〝正式〟なモノは国会や閣議を通った日本語のモノダケ。ホカは単なる役人の〝翻訳〟なんだよ――当然、法的効力も一切ナイ。〝人間宣言〟も国際条約ではナイから、〝正式〟文章は日本語ノミってことさ。ソノ証拠

に〝人間宣言〟は、天皇や日本国民の先祖が日本神話のなかで神でアルコトも、歴代天皇の神格《しんかく》も、神話のなかの神や歴代天皇の崇拝のために天皇が神聖な儀式を行うコトも否定シナカッタし、天皇が人間の姿として現れた神、ツマリ現人神《あらひとがみ》として行う儀式には税金こそは直接投入されないけど、天皇家の私費でプライベートな祭祀としてイマデモ行われ続けてイルんだよ」

　横でイラージはさすがに顔をしかめた。

「そんなこと科学的にあり得ない」

　しかし王の呆れ顔はそのままだ。

「アノネ、これは宗教の話なんだよ。キリスト教徒だって、聖母マリアが処女懐胎シタっていまでも信じているんだろ？　それとどうチガウっていうんだよ？」

　でも、やはり賢司にもそんなことは信じられなかった。

「天皇がいまでも神だって？」

「あぁ、ソウだよ。生物学的にも法律的にも政治的にもチガウけど、霊的にはね。日本人にとって一番大事なコトは、その現人神の天皇が国家・国民の安寧《あんねい》や五穀豊穣《ごこくほうじょう》を祈ってくれるコトなんだよ。いまデモ一月元旦の早朝五時半から行われる四方拝《しほうはい》にハジマリ、年間三十にもおよぶ宮中祭祀がアルんだぜ。要するに天皇は君主というよりは、最高位の祭司。ローマ教皇にチカイのさ」

　天皇が神道最高位の祭司という話は、賢司もきいたことがあった。

しかし、あくまでも人間としてだ。

「確か、鏡、剣、曲玉《まがたま》の三種《さんしゅ》の神器《じんぎ》がその象徴なんでしょ？」

「三種の神器は、憲法上は日本の象徴であり宗教的には神道最高位の祭司という唯一無二の皇位に対して、保証をアタエルものなんだよ。コレなしでは天皇にナレナイ」

へこんでいたデービッドが、起死回生とばかりに、すまし顔で知ったかぶりをこく。

「西洋の王冠のように、王権の証であるレガリアのようなものだろ？」

しかし王は、返す言葉でまたばっさりと切り捨てた。

「ソレはチガウ。レガリアは単なる印だけど、三種の神器は神の依《よ》り代《しろ》でもアルからね。ダカラ三種の神器の継承は、宗教的行為として新憲法下では私的にオコナワレルんだよ」

こうしてきいていて、賢司には天皇という地位は、中国的な概念から生まれてきたものでもないと思えてきた。天皇は祭司であり現人神だが、中国で皇帝は天子だからだ。天子は天が選んだ人間であって、祭司でもなければ祀られる対象でもない――。

しかし、そこでふと思った。もし天皇が霊的に神なら、天皇家と同じ血を引く自分も霊的に神ということか？

いや、そんなはずはない。そんなことありようがない。だが、その理由がわからなかった。賢司は自分の血筋のことを暴露する気にはならなかったが、間接的にきいてみた。

「ということは、天皇の家族や親戚も全員霊的には神ということ？」

王は賢司に視線を転じながら一度首を振る。

「いや、チガウよ。神代《かみよ》の天皇家の先祖は皆、神ダッタけど、初代神武天皇以来、現人神は天皇ダケ。家族や親戚は霊的にも人間。天皇は、イマでも行われているある儀式を経て神にナルんだよ。実際、過去にはソノ儀式が行われナカッタ天皇が何人かいて、〝半帝〟って揶揄《やゆ》されてイタんだ」

新天皇は理論上は先帝が崩御《ほうぎょ》された瞬間に天皇となるが、法律上は即位《そくい》の儀を経て天皇となり、即位の礼で国内外に宣言する。宗教的には三種の神器を承継した時点で天皇となるが、霊的に現人神になるのは、ある祭祀を経てからだというのだ。

賢司がまたきいた。

「それって、なんていう祭祀なの？」

王は低く唸ると腕組みをしながらしばらく考える。やにわに、眉根を寄せた。

「漢字では覚えてイルンだけどね。ニホンゴでは確か――、大嘗祭《だいじょうさい》っていったとオモウ」

即位の礼　高御座《たかみくら》からお言葉を述べられる明仁天皇陛下（写真提供:共同通信社）

歴史の陰謀

ここから見ると、サンシャイン60のビルディングはまるで大きな墓石のようだ——。東池袋中央公園に行くと小橋はいつもそう思った。今回もやはり、そうであるべきだと思った。

代わりにしつらえてあるのは小さな墓標。人目を避けるようにひっそりと佇《たたず》んでいた。沈んだ灰色の石肌にこびりついた石垢《いしあか》が、耐え難い年月を無言で語っている。表面には、退屈な書体でひと言だけ彫り込まれていた。

〝永久平和を願って〟

本当にこれでいいのか？　本当にこれが、日本人が下す彼らへの評価なのか？

東京に来るたびに最初に訪れるこの墓標が、戦後日本が強いられてきたアメリカの属国という屈辱の立場の象徴であり、日本人の魂

東池袋中央公園とサンシャイン60

東池袋中央公園にある石碑

の墓碑として小橋の目には映った。

この岩は、日本人の魂が二度と自由にならないように重しとしてあるのだ。

小橋は持参した鮮黄色の和菊の花束をそっと手向けて裏側に回り込むと、読みたくもない字列に目を這《は》わせた。――彼らの無念を、もう一度胸に強く刻み込むために。

〝第二次世界大戦後、東京市谷において極東国際軍事裁判所が課した刑及び他の連合国戦争犯罪法廷が課した一部の刑が、この地で執行された。戦争による悲劇を再びくりかえさないため、この地を前述の遺跡とし、この碑を建立する〟

なぜ鎮魂の言葉がないのか？　なぜ哀悼の誠を捧げる言葉がないのか？　彼らは国のために命を捧げた英霊ではなかったか。

日本はサンフランシスコ講和条約で東京裁判の判決を受け入れた。しかしその内容を真実と認めたわけではない。認める法的必要性もない。日本が受け入れたのは判決そのものだけだ。もとより法律自身が、人間の頭のなかまで束縛するものではないのだ。

そもそもあんなものは、国際法に基づいた裁判と呼べるものではなかった。主権を持たない占領下の日本を、戦勝国が一方的に裁く管轄権さえない軍事裁判の私的リンチだった。〝平和に対する罪〟や〝A級戦犯〟という過去どころか現在の国際法にさえ存在しない即席に創作した概念や事後法により、国家の責任を個人に問うという当時の国際法を無視した立論によって過去と個人を裁く、文明国の常識を逸脱したメチャクチャな政治的裁判ショーだったのだ。

すべての裁判官と検事の戦争当事国からの選出、日本側が提出したほぼすべての証拠の自動的無視、原告の偽証罪は一切問われないというとんでもない設定等々――裁判後、判事たちは告白したではないか。箝口令《かんこうれい》がしかれていていえなかったが、彼らは国際法を擁護するために出席したはずだったが、国際法を徹底的に無視し続けたのは連合国側であり、あまりにも醜い裁判だったと。戦勝国が敗戦国を公正に裁こうとした初の裁判は、所詮、無理な試みであったと。

それだけではない。まさにその東京裁判の真っ最中、アジアを再植民地化するために侵略戦争を戦っていたのは、その列強諸国自身ではなかったか。

しかし本当に日本が戦ったのは侵略戦争だったのか？　そもそも、なぜ白人がアジアに数百年も居たのだ？　チャリティとでもいうつもりなのか？

当時、世界にはまだ独立国は六十カ国ほどしかなかった。非白人国で植民地となっていなかった国はたったの十カ国。アジアで完全な独立を維持していた国は日本だけだった。しかもその数は減り続けていたのだ。

もしアジアで最後の独立国であった日本が植民地化されたら、アジア全体、いや有色人種の国々が解放されるまでさらに数百年の時間を要していただろう。あの戦争の際、日本がアジア各国でつくった国軍こそが、戦後再植民地化のために帰ってきた列強諸国の軍隊と戦い、白人による植民地支配の終焉《しゅうえん》を導いたのだ。日本が戦ったのはアジア諸国を植民地化していた西洋の国々であり、現地人ではない。ましてや当時の国際法では、〝侵略〟かどうかを決めるのは他国ではなく、自国ではなかったか。

と、不意に、小橋がまだ学生時代、自分を急進的な思想へと走らせる大きなきっかけとなった、ある図書館で偶然見た米国大手新聞社の社説がふつふつと胸に蘇ってきた。それは日本がポツダム宣言を受諾した直後の八月十四日付のもので、米兵が日本を模した瀕死《ひんし》の怪物の歯を抜いている挿絵が添えられていた。

〝この怪物は倒れはしたが決して命を失ってはおらず、いまだ非常に危険な存在だ。だから、この化け物の牙と骨を徹底的に抜き去り、解体しなければならない。この作業は戦争に勝つよりも難しいかもしれないが、我々はアメリカのために、世界のためにも、永久にでも、この作業を続けなければならない〟

命はまだ失っておらず、解体しなければならない。永久にでも――。

小橋は自分の目を疑った。何回も何回も読み直した。なぜこんなことが許されるのか？　どうして日本人がこんな仕打ちを受けなければならないのか？　近代以降、国際法上、無条件降伏が法的に成立するのは軍隊だけであって、国も、国民も一切関係ないはずである。

一体、奴らに他国の主権を侵害するどんな権利があるというんだ――。

単なる一新聞社の主張だし、そんなことあるわけない、できるわけない、と疑いつつも関連資料を漁《あさ》っていると、今度はマッカーサーが日本を去るとき、時の首相、吉田茂《よしだしげる》に告げた言葉に遭遇した。

「悪いけど、日本人の魂は抜かしてもらうよ」

えっ？　やはり――。

そのとき、パッと霧が晴れたような想いとともに、背筋が凍りつくような戦慄が走る。ほぼ同時に、腸《はらわた》が煮えくり返るような怒りがこんこんと湧き上がってきた。

ずっとわからなかった、ずっと奇妙に思っていた、嘘をつき、印象操作をして、いや、捏造をしてまで、まるで取り憑かれたように世界に向かって日本を貶《おとし》めようとする不思議な反日日本人。自分たちが民主主義のプロセスで選んだ日本の政府より非民主主義国家の政府がいうことを信じる奇っ怪な人たち。先人たちが命を懸けて守ってきた国土や家族を守り、まだ見ぬ子孫たちに祖国を残すことが〝単なる個人の権利〟だと信じ込まされている自国に誇りを持てない人たち。どうして日本にだけそういう人たちが存在するのか、ずっとずっと悩んできた。しかし彼らをつくりだした日本人が日本を嫌い、日本人でなくなるように仕向けるような反日教育や反日メディア――その背後にいる奴の正体を、この時やっと見つけたからだ。

奴らは知っていたんだ。ヨーロッパや大陸で民族間や国家間の紛争を繰り返してきた奴らは知っていたんだ。どうすれば戦わずに自分たちが優位になるかを。どうすれば敵が腰抜けになり、飼い犬のように従順になるかを。――歴史を否定させて忘れさせること。そして、伝統や文化を引き剝がし消し去ることをだ。

そして予告通り、戦後、日本の解体作業は始まった。日本の精神のかたちを崩壊させる作業が始まった。日本の完全な独立と日本人の気概を奪うことを目的とした交戦権を否認する憲法の強制に始まり、史上最大の焚書《ふんしょ》、プレスコードによるメディア統制、公職追放、教育界の刷新、人事、〝教科書検閲基準〟による教育内容の強制、挙げ句の果ては、贖罪《しょくざい》意識を徹底的にすり込むためのWar Guilt Information Program（戦争に対する罪悪感を日本人に植え込む宣伝計画）だ。小橋は当時の英国首相、チャーチルのあの有名な言葉を思い出した。

〝歴史は勝者によって書かれる――〟

その確言のとおりGHQ民政局は学会やメディアを操作しながら歴史を書き換え、日本が何のために戦ったかを忘れさせた。その上で、CIAの前身であるOSS（戦略任務局）が策定した『日本計画』のもと、なんと世界革命を企てていた日本国内外の共産主義者たちと組んでまで日本人の精神を崩壊させる恐ろしい計画を推し進めたのである――理性と自由意思に立脚していると騙《だま》しながら、気づかれないように少しずつ日本人の心を歴史や伝統から引き剝がし、丸裸で無防備な、バラバラで操りやすい〝個々人〟

とするために――。

これにより日本人の頭のなかは、外国人と彼らに魂を売って手足となった日本人によって、そっくり入れ替えられてしまった。なかでも影響が大きかったのは、日本を悪の侵略者にでっち上げることにより自国の近代史を否定させ、そんな悪行を想起させたとして日本神話と日本人の心を切り離したことだ。二十世紀の知の巨人であり神話学の世界的権威でもあるレヴィ＝ストロースをして、〝世界の神話はほとんど歴史との連続性がないが、唯一、日本神話だけは歴史と結びつき、神話から歴史への移行は巧妙〟といわしめた、日本人の起源と心の拠り所をだ。

日本人は自分たちのルーツも、歴史との繋がりのどちらも知らない、世界唯一の根無し草民族に成り下がったのだ――こんな世界でも稀《まれ》に見る豊かな歴史をもちながら――。まるで世界的な歴史学者トインビーが発見した、あの恐ろしい法則を具現化するかのように――。

〝これまで世界の歴史のなかで、十二歳までに自民族の神話を教えることを止《や》めた民族は、すべて百年以内に消滅した〟

これではナチスがユダヤ人に行った民族浄化政策と同じではないか？

小橋は冷たい墓標にまた手を当てると、深くついた重い溜息に、いつかこの屈辱の言葉を鎮魂の言葉に変えようと新たな決意を込めた。

八百万の神

七月中旬のその日、東京はうだるように暑かった。

「どうやら俺たちは日本に来る時期を間違えたようだな――」

空港を出たところで、デービッドは憂鬱な顔をぬぐいながら賢司に当てつけた。

「ところで最初どこに行くんだい？　まずはお父さんのご葬儀か？」

「いや、母からのメールによると、どうやら伊勢神宮にいた父の弟が臨時で籠神社《このじんじゃ》の宮司になっているらしいんだけど、父は司法解剖でまだ帰ってこられないから特に決まってないよ。でも、やっぱり最初は伊勢神宮がいいんじゃない？　日本最高位の神社だからね」

デービッドは、それも一理あるが、まずゆっくり落ち着くことを提案した。

「まぁ順番は何だっていいけど、まずは長旅の疲れを癒すのに、風呂にでも浸かって旨い寿司でも食べようぜ。どうせおまえらは、本当の寿司食べたことないんだろ？」

嫌みったらしい言い方に、王が仏頂面を返したが、デービッドは構わない。

「おまえらも最近の日本食ブームで食べ始めたらしいけど、いっておくが、アメリカでおまえらが食っているあんな寿司、寿司じゃないからな。本物は味も質も別物。そもそも世界一美味しい魚自体が日本近海で泳いでいるのさ」

「それはあり得ない」

ぼそりといったイラージは、冷ややかだった。しかし、デービッドは、

「あのな、これは科学的なんだよ」

と真面目くさった顔でいうと、いつものように鼻を膨らませて自説をひけらかし始めた。

日本列島の背骨のように連なる山々。シベリアと太平洋からの風によって、一年中日本全土に降り注ぐ大量の雨と雪。流れが速く短い河川のきれいな水。世界有数の火山国にあって、地中から噴き出す厖大《ぼうだい》なミネラルと、多様な落葉樹の浩大《こうだい》な腐葉土から溶け出す豊潤な栄養分――。

「わかるか？　そのきれいで栄養たっぷりの水で育った美味しい小魚やエビを目当てに魚が集まり、自分たち自身が美味しくなるんだよ。こんなに豊かな水が海に注がれている国、世界のどこにもないぜ。日本人はそれをよく知っているから山を大事にするのさ。そもそもほかの国では川上の山なんて岩ばっかりで木なんてあまり生えてないから、海辺に魚介類なんて大していないのが普通なんだよ。だから日本近海には世界の海水魚の二十五％、約三千七百種もの海水魚が泳いでいるんだ。地中海全体でさえ、たった五百種だぜ？」

「なんだ、日本には世界一美味しいといわれている和牛と世界一美味しいシーフードがあるということか？」王は、まだむくれた表情だった。

一方、イラージは、科学者らしく正論の前に何のこだわりもなしにひれ伏した。

「一応、科学的には整合性があるね」

「当たり前だろ。どんな立場の弱い子どもや女性だって、日本じゃ海に行って砂を掘れば貝を食べて生き延びられたんだ。日本は一神教が生まれた砂漠の国々と比較すると、自然環境が人間に優しいんだよ。だから日本人は自然に感謝して崇拝するのさ」

デービッドのその説明は、賢司の心にも落ちた。

日々の生活のなかで、さまざまな恵みを与えてくれる太陽、大地、山、森、川、そして海――。そこに潜む絶大な力に対して生まれてくる感謝の気持ちと畏敬の念。その気持ちは、やがてそれらに宿る神への信仰へと変化していく。

太古の昔より、人々は自然のなかに横たわる神秘に心を寄せ、畏怖し、そして崇拝してきた。日本は、そのような信仰が息づく独特な場として、別格の存在感を放っている。花、木、川、石、風といったありとあらゆるものに潜む力があり、それぞれが名を与えられ、神としての独自の個性を持つ存在として敬われてきた。

こうして八百万の神々は、ただの形而上《けいじじょう》の概念にとどまらず、人々の心のなかに確かに実在し、日々の生活に彩りと意味を添えている。そして単なる信仰を超えて、自然との共生、感謝、さらには調和の哲学へと昇華しているのだ。しかしそれは、日本人の日常にあまりにも深く溶け込んでいるがゆえに、その深淵《しんえん》を知ることなく見過ごされがちだ。だが、その精神は、日本文化の核をなす不変の支柱として存在し続けているのだ。

そしてまた、日本人は、主な動物性タンパク源を魚介類に求めた唯一の民族だ。だから自《おの》ずと大自然に学び共に生きてゆくことを選び、管理、コントロールしようとする畜産の発想は持たなかった。その日本の穏やかな気候を考えると、日本人が信じているものが厳しい絶対神の宗教ではなく、森羅万象に潜む八百万の神に感謝する多神教の信仰であるほうがよほど自然に思える。やはり、日本人が一神教を信じていたなんて考えづらい――。

でも、思い出した。――祖父の本では、日本にはもともと元初の最高神がいたと。この日本の穏和な自然環境で？　ということは、誰かが外から異質な神をもってきた？　そう思案してみるも、賢司はまだ、とてもそれを信じることができないでいた。

a、b、c

五時半に待ち合わせたホテルの寿司屋に、十分遅れで現れたのは賢司だった。

「おいおい、財務大臣がトンズラかと思ったぜ」

デービッドが冗談とも本気ともつかないいい方をすると、

「すまん、すまん。折角だから、ちょっとホテルを抜け出して銭湯に行ってみたんだよ」

と賢司はつくったような笑いを返した。

怪訝《けげん》な顔つきでデービッドがさらに突っ込む。

「えっ？　本当かよ？　まさか、風呂のなかには石けん入れなかっただろうな？」

「さすがにそれはないでしょ、日本で。ネットでちゃんと調べたよ。風呂に浸かる前に体も洗ったし、タオルも風呂に入れなかったしね」

「まあ、その三つができていれば大丈夫だ。あとは間違ったとしても誤差の範囲。失礼にはならないぜ」

吐息をつきながらデービッドは胸をなで下ろしたが、王が例のごとくはやし立てた。

「いくらオヤジさんの国だからとイッタって、密室で一人、ハジメテ会う言葉も通じない人たちと丸ハダカで一緒にスゴスなんて、マッタク頑固なはぐれザルの賢司ラシイいよ――」

が、イラージは首を捻った。

「ねえ、日本って風呂に入る前に体を洗うんだったっけ？」

ここでデービッドは冷酒をグイッと飲み干すと、待ってましたとばかりに吹き散らかす。

「そうさ。バスタブに入る前に体を流すのは、世界中で日本人とユダヤ人だけなんだ。ヨーロッパ人もアメリカ人もバスタブのなかで体を洗うし、中国にだって韓国にだってこんな風呂の習慣はない。な、そうだろ、王？」

「ああ、ナイね」

まったく興味なさそうに王がこたえた。

「ユダヤ人は日本人のように清潔で、よく手を洗う。だから中世ヨーロッパで黒死病が流行《はや》ったときも、ユダヤ人だけはあまり死ななかったから逆に迫害を受けた。奴らが毒をまいたんじゃないかってな」

デービッドがそういったとき、ウェイトレスが大皿のにぎり寿司をテーブルに置いた。

「ほーら、来た。イラージのために、魚貝類の入っていない特注のイラージ・ロールも頼んでおいたぜ」

「オー、サンキュー。でも僕はまだラマダンが明けないから、今日のところは持ち帰って夜に部屋で食べることにするよ」

それをきいたデービッドはプッと吹き出した。

「イラージも変なところで信心深いんだよな」

その脇では、白身魚のにぎりをつまんでいた賢司がぶつぶつと唱えるように呟いていた。

「確かにネタがアメリカとは全然違うね――。プレゼンテーションも雲泥の差だけど――、そもそも魚自体がまったく別物というのがよくわかるよ」

デービッドは勝利を自賛した顔になる。

「ほら、いった通りだろ？」

「俺は米が全然違うと思うね」

横では王が海苔《のり》巻きを開いて、米粒をじっくり観察していた。

「オッ、流石《さすが》アジア人、その違いがやっぱりわかるね？」

王は当然といわんばかりの顔をしてみせると、傍《はた》からイラージが質問してきた。

「ところで、債券部にいた同期の韓国人覚えている？　彼は、日本にはヤヨイと呼ばれる朝鮮民族が稲作とともに移り住んで、いままで支配してきたっていってたよ。そのうまい米も朝鮮半島の米なのかな？」

不機嫌そうに王が箸を止めた。

「韓国は自国の文化がないから、世界中のものを何でも韓国起源というんだよ。漢字だって、儒教だって、漢方薬だって、紙だって韓国起源だといい始めているんだぜ」

賢司もそれはあり得ないと思った。第一、ＤＮＡが否定している。

日本の米は粒の短いジャポニカ米――ＤＮＡ的には、起源は中国の長江《ちょうこう》付近ということが判明しているが、問題はどこから入ってきたかだ。

「中国の米はａからｈの八種類のＤＮＡタイプがあるけど、日本の米はａ、ｂ、ｃの三種類だけで、ｂが一番多いんだ。でも韓国の米にはｂがない。ということは、日本の米は朝鮮半島から入って来たものではないということだよ――そもそも朝鮮半島は寒くて稲作には適さないし、米が主食になったこともない。それに実際、発見された米のプラントオパールや水田跡も日本のもののほうが古いと読んだこともある」

デービッドは意外な表情をしていた。

「確か日本神話では、ニニギとかいう神がアマテラスから最初の稲穂をもらって日本に

ニニギに稲穂を授けるアマテラス

やってきたんだろ？　ということは、ニニギの稲穂は朝鮮半島のモノではないということだな」

　しかしイラージはまだ合点がいってないようだった。

「じゃ、日本人は中国から来たと？　僕にはあの油だらけの酢豚と、このさっぱりした寿司が同じ文化から生まれてくるとは到底思えない」

　王も同じ表情で口を挟んだ。

「でも韓国も同じさ。韓国は肉食の文化。日本人は肉は食べなかったし、ニンニク、キムチの文化は日本料理からは想像できないほどほど遠いよ」

「あ、そういえば——」

　デービッドが視線を宙に這わせると、記憶をたどるように呟いた。

「俺、昔からサムライが好きで実家で刀も集めているけど、確か、刀の鋼をつくる日本古来の〝たたら〟って製鉄法は、朝鮮半島の製鉄法とは異なって中央アジアの製鉄法らしいぜ」

賢司も混乱していた。

「文法から考えると、中国語は主語のあとに動詞が来て、そのあとに目的語。英語と同じSVO型。でも日本語は動詞が最後に来る――逆だ。一方の朝鮮語は、日本語と同じSOV型。だけど世界の言語の約四十五％がSOV型だから、それだけでは断定できないけど」

「ヘブライ語は？」

イラージの問いに賢司は言下にこたえる。

「ヘブライ語はVSO型で、また違ったグループだけど、アブラハムが最初にいたウルで話されていたシュメール語は日本語と同じSOV型だし、同じように膠着語《こうちゃくご》というグループに属するんだ――」

するとデービッドが、冷酒をグイッとを流し込みながら賢司にきいた。

「ところで、日本人のDNAってどうなんだろう？」

「僕が大学に行っていた頃は、まだ民族のDNA研究はあまり進んでいなかったのでよくわからないけど、今晩ネットで調べてみるよ」

行動開始

駒沢通り沿いに駐《と》めた宅配便の小型車のなかで、ヴォルターは無表情に目を腕時計に落とした。

二十一時ちょうど。行動開始の時間だ。

黒縁のだてメガネを掛け、宅配便のキャップを深くかぶる。指紋を残さないための特殊手袋をしながらユニフォームのTシャツを確認した。背筋が震えるのを感じる。

これまでの苦労が、これから報われようとしているのだ。

興奮を抑えながらヴォルターは左手に小さな空箱を持ち、車外に出た。

広尾といっても三丁目のこのあたりはどの駅からも遠く、夜はひっそりとしている。路地には人通りはなかったが、近隣のマンションの窓には人影が時折見えた。いつ不意に人が出てくるかわからない。街灯の下では伝票を見ながらキャップの影に表情を隠した。

幸運は思いも寄らないところから突然転がり込んできた。

それは肺炎で生死を彷徨《さまよ》っていた友人を看病していたときだった。病み上がりの心の隙にすうっと入り込んだヴォルターに、その友人は図らずも気を許した。快気祝いの席で、彼が神道の秘密組織の一人であることを仄《ほの》めかしたのだ。

そんな話にはまったく興味がない素振りをヴォルターは咄嗟に見せた。隙を見て自白剤を酒に盛り込むと、緊張の鉄枷《てっか》から解き放たれた友人は眠り込む前に不思議な話を伝えた。

江戸時代末期、神仏習合のような状態が続くなか、神道の将来を憂えたある神官が秘宝の消失を恐れ、その〝ありか〟をある絵のなかに残したというのだ。組織の掟を破って。

ところが黒船がやってきて、日本は開国。その後、国家神道の時代を迎え、どさくさのなかでその絵は忘れ去られてしまった。つい最近まで。ある神社の宝物室で。

「で、その神社とは？」

爪の先ほども信じていないような声音で質問したが、逆にヴォルターが質問を返された。

「なんで、そんなこと知りたいんだよ？」

まずい、気づかれたか——。

危惧したが、ぱっと思いついた質問でまたもごまかした。

「えっ？　特に理由なんかないけど——そこまできいたら誰だって結論知りたいだろ？」

「……まぁな、でも知らないほうがおまえのためだぞ……。はっはっはっ」

友人は瞼を半分閉じかけていた。その眼には、襲いかかる眠気が病み上がりの疲れからくるものなのか、久々の酒からなのか、それとも何かほかの理由からなのか判断できる余裕は見えない。

「……でも、まあ、おまえは俺の命の恩人だ……。俺は一生に一度だけ寝言としてそれを口に出すから……、もう二度と質問するなよな……」

「ああ」といいながらヴォルターの目が獲物を狙う目になった。空笑いをして見せる。

するとと友人は深い眠りに引き込まれる間際、もごもごした口調で洩らしたのだった。

「……こ・の・じ・ん・じゃ・だ・よ……」

房

暗闇のなか、そっと目を覚ました賢司は、どんよりとした意識のなかで二杯目の水を一気に飲み干した。

ふうっ——、痛い。頭がじんじんする。今日は日本酒を飲み過ぎた。どうやら初めて食べた〝本当の〟寿司に浮かれ過ぎたようだ。

いま何時だろう？　まだ九時十分過ぎ。ニューヨークでの不規則極まりない生活サイクルの挙げ句の昼夜を反転するジェットラグ。もう体内時計は、完全麻痺《まひ》状態だ。しかし明朝まで大分時間はあるし、もう、しばらく眠たくもない。どうしよう？

——そうだ。賢司は持て余した時間で、これから訪ねる神社についての予備知識を得ることにしてみた。

とりあえず使い古したMacBookを立ち上げ、ベタだと思いながらもグーグルでJinjaというワードを画像検索してみる。——ずらずらと写真が溢れんばかりに出てきた。

朱色に染まった荘厳な社殿《しゃでん》、古寂びた石鳥居、伝統的な巫女《みこ》の舞……。見たことのない歴史的建造物や場景に目を奪われながら、ブラウザーをゆっくりスクロール・ダウンしていった――。

突然、その指がピタと止まる。視線は一枚の写真に張りついていた。――ん？

ざっと百人近い群衆が、沸き立つ熱気のなかでひしめき合っている写真だった。

その真ん中で、法被《はっぴ》に身を包んだ男女が二、三十人、何かを担いでいる。裸同然の人がいたかと思うと、陶酔して体を揺り動かしている人もいた。――これ、アーク？

アークとは、十戒の石版が納められたとされる移動式神殿、契約の聖櫃《アーク・オブ・コベナント》の略称である。

契約の聖櫃（アーク）の想像画

モーセと十戒の石版

モーゼがシナイ山で神から授かったその石版は、それを納める聖櫃《アーク》も、寸法、材質、装飾などがすべて神によって定められていた。

その後アークは、エルサレム神殿に納められたが、王国の崩壊とともに歴史の紛擾《ふんじょう》のなかに消えたままとなっているのである。

こんなもの、中国や朝鮮半島、ほかのアジア諸国でも見たことがなかったのに――。

賢司はクリックしてページを開き、なかのビデオを見た。どうやら担ぎ手は何かを叫んでいるようだ。ボリュームを上げてみる。エッサ、エッサ。ワッショイ、ワッショイ――。

どういう意味だろう？　賢司はハッとして、オンライン翻訳でヘブライ語にしてみた。

しかし突然凍りつく――。

アークの前でお祭り騒ぎをするダビデ王

「エッサ‥運べ。ワッショイ‥神が来た」

　運べ、神が来ただって？　聖書のある一節が燃え上がるように呼び覚まされた。

〝イスラエルの家はこぞって喜びの叫びを上げ、角笛を吹き鳴らして主の箱《アーク》を運び上げた〟

　――これって、まさに目の前の写真のこと？

　写真を拡大してみる。どうやら神殿は、二本の棒の上に載せられているようだ。

　映画で見た二本の棒に挟んであるアークとは、ちょっと異なるようだが――。しかし聖書には、棒で神殿を挟

神輿を担ぐ神職

アークを運ぶレビ族

むか載せるかは明記されていないことを思い出した。

しかし、もっと気になったのは、神輿《みこし》の上に据えつけられた鳥、鳳凰《ほうおう》のほうだ。アークには神の定めにより、二体の智天使《ケルビム》が羽をひろげて配置されていたからだ。

これは明らかな相違点のようにも見えるが——。

「神輿の鳳凰は一羽。でも、鳳凰は本来、霊的には鳳と凰の二羽の鳥だ——」

賢司はひとりでぶつぶついいながら、さらにスクロール・ダウンしていった——。

えっ、と思わず洩れた声とともに、今度は、雷に打たれたようなショックにビクッと身が起き上がった。——レビ族が日本にやってきた？

レビは、イスラエル人の族長ヤコブの十二人の息子の一人である。レビ族とはそのレビを始祖とする支族《しぞく》で、神から祭祀《さいし》を司ることや、アークに触れることを許された祭司を輩出する唯一の一族であった。あのモーゼもレビ族の一員という名門支族でもある。

しかしこの写真で神輿を担いでいる人たちは、レビ族そっくりだ。いや、そのものずばりだ。——ゆったりとした白装束《しろしょうぞく》。独特の形の帽子。よく見ると、なんと、神がイスラエル人につけることを命じた房《ふさ》が、袖から垂れ下がっているではないか！

身にまとう着物に房を作らなければならない——。

房

昔、房は、聖書が定めたイスラエル人の印だった。それをなぜ、いま日本人が？

遠く離れたこの日本でレビ族と同じ服装をした人たちが、アークとほぼ同じ形の移動式神殿を、ヘブライ語で叫びながら聖書に記述されているように担いでいる。

しかもこの習慣は、イスラエルと日本以外の国には見あたらない――。

一体どういう解釈が可能なのだろうか？

そのとき、思った。

そうだ。そもそも聖書は、このことについて何といっているんだろう？

賢司は一度先入観をすべてぬぐい去り、虚心坦懐《きょしんたんかい》に聖書を調べてみることにした。

ドアの鍵

籠神社《このじんじゃ》！　やっぱり籠神社か！　あの神社には何かがあると思っていた――。

数日後、ヴォルターは籠神社に忍び込んだが、その絵はなかった。

しかし宝物室で目録を見つけた。いくつかの宝物が博物館、大学、研究所などに貸し出されていることが記載されている。そのなかに目的のものも外部の人に預けられているとの記録を見つけた。

ところが、なぜかその絵だけ貸し出し先が明記されていない。――怪しい。

ヴォルターは宝物室を出て、社務所《しゃむしょ》を漁ると日誌を見つけた。そこには宝物が預けられた日、宮司は外部の人とはたった一組の来客にしか会っていないことが記述されていた。

アミシャブ代表アブラハム・ヘルマンと日本ユダヤ教団のラビ、ヨセフ・コーヘン！

ヴォルターはキャップのなかで額に薄く滲む汗を感じながら、日赤通りのほうへ上がり始めた。

日本ユダヤ教団の塀には、建築時コンクリートを流し込むときに使用したスギ板枠の木目が転写され、表面にリズミカルなパターンを形成していた。ヴォルターはその模様に感心しながらも、こんな些細《さ さい》なことに気づくいまの自分の落ち着いた精神状態に安心した。

正面に着くとカメラの死角に入るよう、常に右手の伝票を見ながら顔を伏せた。一階の入口では立ち止まらずに、右側の二階へ続く階段をのぼり始める。設計事務所から入手した展開図では、ラビの居住区は二階のエントランス・ロビーから入り、三階にあるからだ。一段、一段、想いが現実に近づいてくる。

これで真実を歴史の闇に葬り去れるのだ——。体中の血が熱くたぎる。

日本のオール・マイティーはこれで終わりだ。この俺が葬るのだ。

ヴォルターは二階に上がると、南側に進みドアの前に立った。情報では二十一時にはエントランスの鍵は開き、すべてのセキュリティも落としてあるとのことだった。本当かどうかはわからない。しかしヴォルターには、質問することも疑うことも許されていなかった。

不安と興奮を抑え、殺風景なドアの前にしばらく立ちつくす。

一歩前に踏み出すと取っ手を持ち、すべての感情を圧《お》し殺しながら、そっと押した。

小さな金属音とともに、それは重々しく開き出した。

踏み入ると、吹き抜けのエントランス・ロビーだった。朝であれば三階東側のガラス壁から、さぞかし心地よい朝日が入ってくるのであろう。しかし、いま月は西の空に位置し、それさえも見えない。情報通りこの時間ラビは居住区にいるようで、ロビーには街灯の光以外まったくなかった。

逃げ道を確保するため、まずは南側にあるシナゴーグのなかをチェックする。

が、ドアを開けたとたん、異様な雰囲気にたじろいだ。天井と壁にメープルのリブが肋骨《ろっこつ》のように張り巡らされていて、まるで恐竜の肺のなかを内視鏡でのぞき込んでいるようだ。

なかには入らず、あたりをサッと見回す。――誰もいない。

音を殺しながらドアを閉めた。

廊下の反対側にある殺風景な多目的室にも行き、誰もいないことを確認する。――これで逃げ道はOKだ。

ヴォルターは階段を音を消しながらゆっくり上がり、振り返った。北側のライブラリー・エリアにも人はいない。よし、これで逃げ道は確保した。

そのまま南側の居住区に入る。展開図ではここに温感センサーがあるはずだったが、情報通りすべて落としてあり、ドアの鍵もかかっていなかった。

ベージュの絨毯《じゅうたん》が敷き詰められた居住区の廊下を抜き足で進み、一番奥、ドアの下から微かな灯《あか》りが洩れている部屋の前で立ち止まった。

このなかに、俺が長年探し続けてきたものがある――。

部屋のなかからは、ぼそぼそと電話をしている男の声が洩れきこえてきた。

あの声だ。俺を門前払いした、あの声だ――。

ユダヤ教どころか、宗教にはまったく興味はなかった。しかし、人種差別を受けたようなそのときの対応に、改めて怒りが込み上げてきた。

おまえは、いま思い知ることになる——。

心のなかでそう叫びながら、電話が切れるときを待っていた。

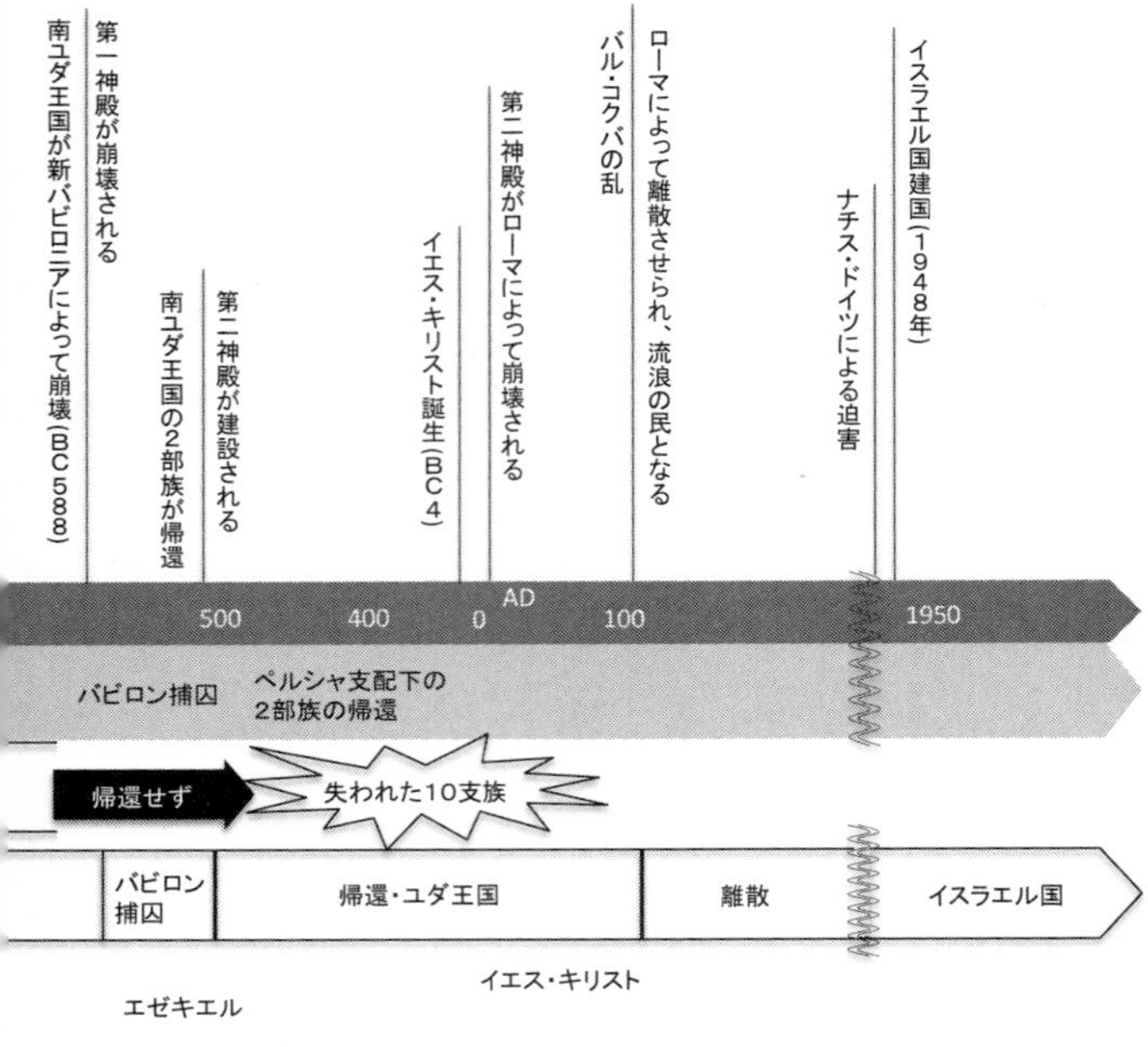
南ユダ王国が新バビロニアによって崩壊（BC588）
第一神殿が崩壊される
南ユダ王国の2部族が帰還
第二神殿が建設される
イエス・キリスト誕生（BC4）
第二神殿がローマによって崩壊される
バル・コクバの乱
ローマによって離散させられ、流浪の民となる
ナチス・ドイツによる迫害
イスラエル国建国（1948年）
500
400
0
AD
100
1950
バビロン捕囚
ペルシャ支配下の
2部族の帰還
帰還せず
失われた10支族
バビロン
捕囚
帰還・ユダ王国
離散
イスラエル国
イエス・キリスト
エゼキエル

イスラエル人の歴史

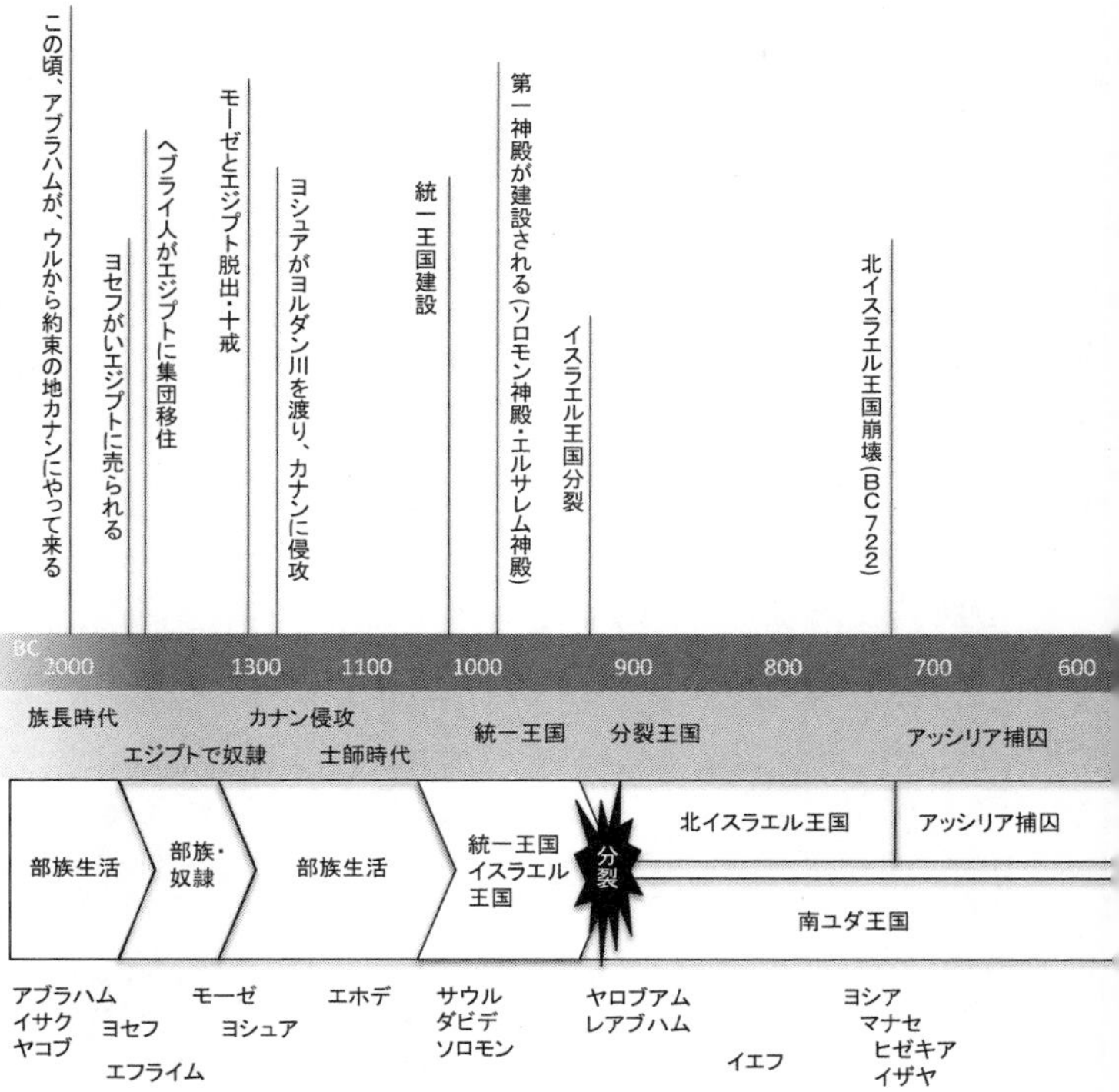
この頃、アブラハムが、ウルから約束の地カナンにやって来る
ヨセフがいエジプトに売られる
ヘブライ人がエジプトに集団移住
モーゼとエジプト脱出・十戒
ヨシュアがヨルダン川を渡り、カナンに侵攻
統一王国建設
第一神殿が建設される(ソロモン神殿・エルサレム神殿)
イスラエル王国分裂
北イスラエル王国崩壊(BC722)
BC
2000
1300
1100
1000
900
800
700
600
族長時代
エジプトで奴隷
カナン侵攻
士師時代
統一王国
分裂王国
アッシリア捕囚
部族生活
部族・奴隷
部族生活
統一王国イスラエル王国
分裂
北イスラエル王国
アッシリア捕囚
南ユダ王国
アブラハム
イサク
ヤコブ
ヨセフ
エフライム
モーゼ
ヨシュア
エホデ
サウル
ダビデ
ソロモン
ヤロブアム
レアブハム
イエフ
ヨシア
マナセ
ヒゼキア
イザヤ

六六〇の理由

ええと、簡単に整理すると——。

賢司は早速オンライン聖書を検索し始めた。

アークはそもそも、イスラエル王国のソロモン王がエルサレムに建てた神殿に納めた。

しかし王国は、北イスラエル王国と南ユダ王国に分裂。神殿は南ユダ王国側にあった。

その後、紀元前八世紀に北イスラエル王国がアッシリアに滅ぼされるが、南ユダ王国は紀元前六世紀に新バビロニアによって滅ぼされ、このときソロモン神殿も廃墟《はいきょ》となった。

バビロニア人は略奪した宝物の詳細な

新バビロニアによって滅ぼされる南ユダ王国

リストを作成したが、そのなかにアークが記載されていなかったことは有名な話だ。

——ここまでは、定説通りで問題ないだろう。

だとすると、実際にアークが消えたのはいつだろう?

賢司は聖書を検索しながら、アークに関する記述がソロモン王の時代のあと急に少なくなることを発見した。これは、もう失われていたからか?

聖書のなかで最後のアークの記述を検索してみる。

あった。これだ。王はこういった。イスラエルの王ダビデの子ソロモンが建てた神殿に、聖なる箱を納めよ——。この王とは誰だっけ? ——ヨシア王だ。

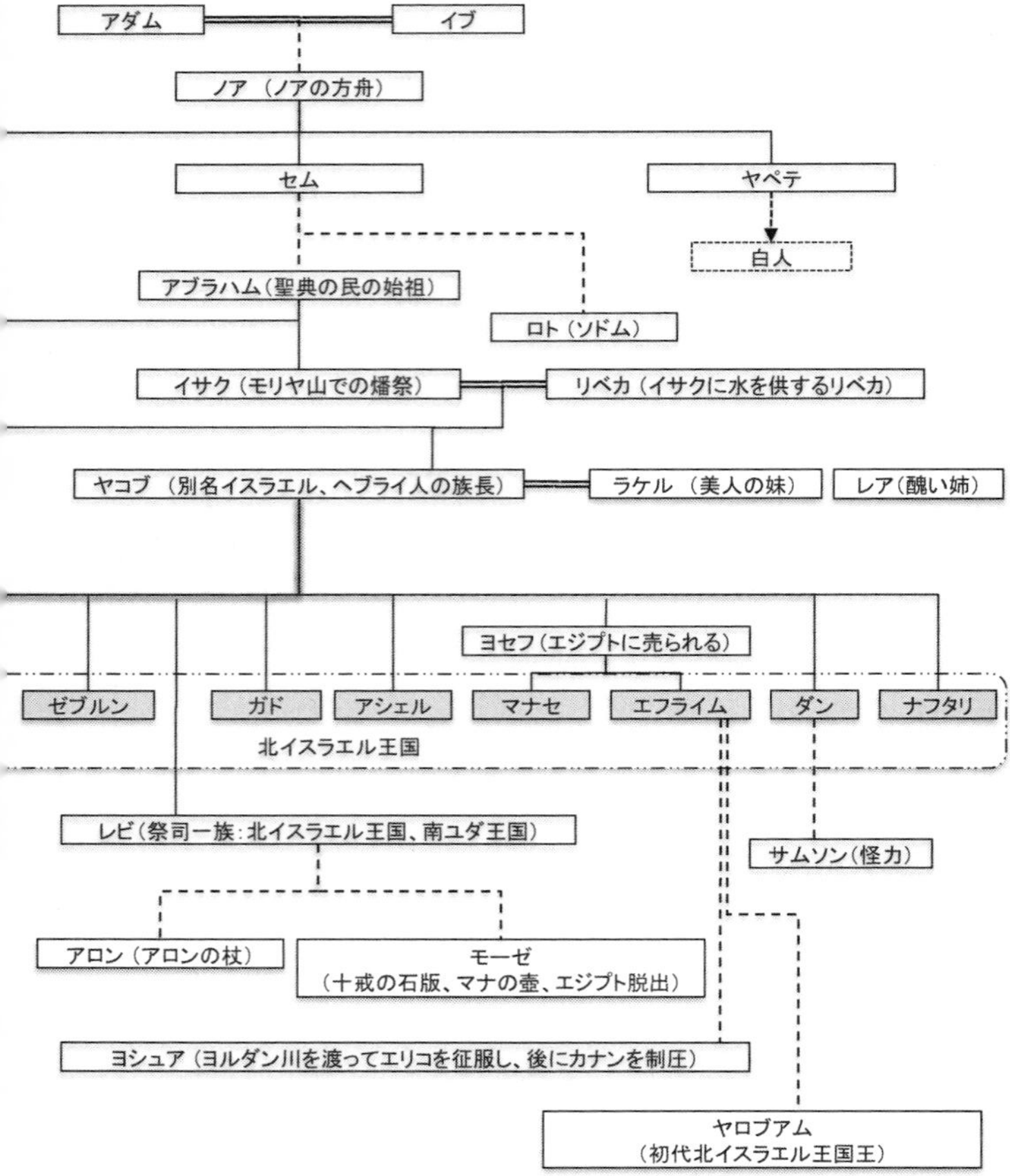

アダム
イブ
ノア（ノアの方舟）
セム
ヤペテ
白人
アブラハム（聖典の民の始祖）
ロト（ソドム）
イサク（モリヤ山での燔祭）
リベカ（イサクに水を供するリベカ）
ヤコブ（別名イスラエル、ヘブライ人の族長）
ラケル（美人の妹）
レア（醜い姉）
ヨセフ（エジプトに売られる）
ゼブルン
ガド
アシェル
マナセ
エフライム
ダン
ナフタリ
北イスラエル王国
レビ（祭司一族：北イスラエル王国、南ユダ王国）
サムソン（怪力）
アロン（アロンの杖）
モーゼ
（十戒の石版、マナの壺、エジプト脱出）
ヨシュア（ヨルダン川を渡ってエリコを征服し、後にカナンを制圧）
ヤロブアム
（初代北イスラエル王国王）

聖書の系図（略図）

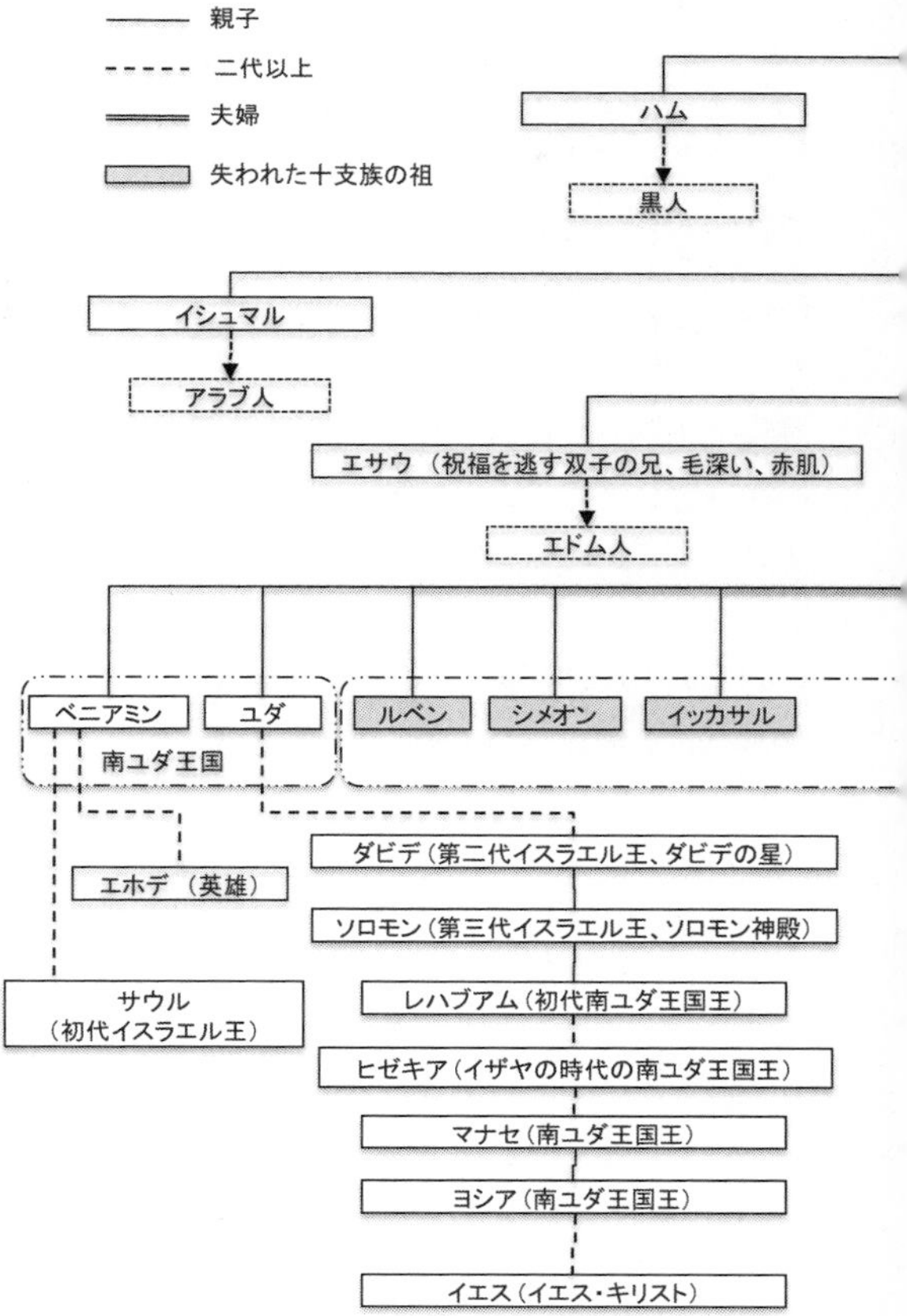

親子
二代以上
夫婦
失われた十支族の祖
ハム
黒人
イシュマル
アラブ人
エサウ（祝福を逃す双子の兄、毛深い、赤肌）
エドム人
ベニアミン
ユダ
南ユダ王国
ルベン
シメオン
イッカサル
エホデ（英雄）
サウル（初代イスラエル王）
ダビデ（第二代イスラエル王、ダビデの星）
ソロモン（第三代イスラエル王、ソロモン神殿）
レハブアム（初代南ユダ王国王）
ヒゼキア（イザヤの時代の南ユダ王国王）
マナセ（南ユダ王国王）
ヨシア（南ユダ王国王）
イエス（イエス・キリスト）

でも、ちょっと待てよ。「聖なる箱を納めよ」とは、まるで、聖なる箱が神殿の外にあるかのような表現だ。――いや、そうに違いない。なぜなら、聖書にはこの記述以降、神殿のなかにアークが存在することを示唆するような預言は一切ないからだ。

そしてその後、アークは消滅する。ということは、ヨシア王の命令通りにはアークは神殿に納められなかったということか？

賢司は、アークがソロモン神殿のなかに納められていることを確認できる最後の記述を検索してみた。

あった。主の箱を迎えたところは神聖であるから、わたしの妻はイスラエルの王ダビデの家に住んではならない――。

でもこれはソロモン王の時代だ。ソロモン王の没年は紀元前九三一年。ヨシア王即位が紀元前六四一年。やはり、この二百九十年の間にアークは消えたと考えるのがもっと

宗教改革を断行した名君ヨシア王

背教がひどかったマナセ王

ものような気がする。でも、もう少し期間を狭められないだろうか？

賢司はソロモン神殿のなかに、一度だけアシェラ像が置かれたことがあることを思い出した。あれは誰だっけ？　マナセ王だ、即位は——、ええと、紀元前六八七年だ。

このときアークは神殿の外にあったと考えるのが妥当だろう。なぜなら、以前ソロモン王が神殿に異教の神々の祭殿《さいでん》を置いて背教した結果、神からの怒りをかい、国が南北に分裂したからだ。その結果を知っているレビ族が、アークと一緒にアシェラを祀ることなど絶対に許すわけはない。

となると……、この紀元前六八七年には、アークは消えていた可能性が高い。ということは、ソロモン王没年からの期間は二百四十四年間。でも、まだ特定するには長すぎる。

この間、南ユダ王国に何があったんだろう？

北イスラエル王国が滅ぼされたのが紀元前七二二年。そのあと新バビロニアが台頭し、南ユダ王国は侵略の恐怖にさらされ、激動と混乱の時期を迎えていた

――。

そのとき、賢司は父が託した預言のことを思い出した。そうだ！

イザヤだ！　父が残した言葉、「東で神をあがめ、海の島々でイスラエルの神、主の名をあがめよ」と預言したイザヤだ。

イザヤは紀元前七、八世紀に南ユダ王国に生きた預言者で、ヒゼキア王がバビロニア人の訪問者たちに神殿の宝物を見せて自慢したことを知ると、バビロニア人たちは必ず南ユダ王国を滅ぼし、すべての宝物を奪うだろうと警告した本人だ。

アークが略奪されることを最も恐れていたイザヤが、何かいっているかも知れない――。

賢司はイザヤ書にざっと目を通した。するとある預言が目にとまった。

〝ケルビムの上に座しておられるイスラエルの神、万軍の主よ――〟

ケルビムの上――。アークの上のケルビムに違いない。

イザヤに叱責されるヒゼキア王

このとき、アークはまだエルサレム神殿内にあったんだ！

賢司はほかのイザヤ書も注意深く読みながら、東の島々、地の果て、日の出るところ、地の遙《はる》かなるところ、という言葉が繰り返し使われていることを知った。

ところが、次のイザヤの預言を見たとき、背筋が凍りつく。

「わたしがここに居ります。わたしを遣わしてください」

イザヤ自身がアークを神殿から持ち出した？　ちょっと待てよ――。

失われた十支族が日本にやってきたとしても、彼らは背教していた偶像崇拝者だ。しかし、いまの日本の神社には偶像はない。ということは、十支族のあとにイザヤのような背教していない南ユダ王国の支族が来ていた可能性は十分にある――。

賢司は、イザヤが傑出して偉大な預言者であるにもかかわらず、いつ、どこで、どのように没したかは伝承以外に定説がない不思議な事実を思い出した。

だとすると、問題はいつかだ。――イザヤが最後に仕えたマナセ王の統治の時代は？

ええと、紀元前六八七年から六四三年――。

その数字を見るや否や、賢司は目が飛び出るほど驚き、思わず叫んでいた。

「ＪＩＮＭＵ！」

日本の正史において、神武天皇の御代《みよ》と日本の歴史が紀元前六六〇年に始まったことを思い出したのだ。

思わず吹き出した。これも単なる偶然だろう――。

賢司は一人失笑しながら、もうひと眠りすることにした。

神の絵

電話が切れる音と同時にヴォルターが押し入ると、ラビ・ヨセフ・コーヘンが驚きの目で振り返った。

「出せ」

ヴォルターはその顔に、有無をいわさぬ静かな太い声でいった。

「あなたは、確か、あのときの――」

ラビ・コーヘンは、まだ何が起こっているのかさっぱりわかっていないようだ。

「あっ、鍵をかけるのを忘れたようですが、本日のサービスは終了していますが……」

「何を寝ぼけているんだ、いいから早く出せ」

その強圧的な物言いに、やっと何か尋常でないことが起こっていることを察したのか、ラビ・コーヘンの困惑の目は緊張の目に変わっている。

「出せって、一体何を？」

ヴォルターは胸元からゆっくり銃を抜き出し、黒い銃口をラビ・コーヘンの額へ差し向けた。

「籠神社《このじんじゃ》から預かった版画だ。おまえの神の絵だ」

ラビ・コーヘンは白目をむき出しながら息を呑《の》み、大きく首を振った。

「な、何かの間違いだ。そ、そんな絵なんか預かっていない――」

「おまえは嘘つきだ。おまえはあの日、俺を改宗させる気なんて初めからなかった。なのに個人情報を根掘り葉掘り質問した」

「あれは、我々の一般的な手順だ」

「戯言《たわごと》はいい。いま出して俺の仕事を楽にするか、それともおまえを殺して、この部屋のものを全部持っていくかの違いだけだ」

殺す、という言葉にうろたえながら、ラビ・コーヘンは条件反射的に語気を強めた。

「わ、私を殺したって何の価値もない。ただあなたが殺人者になるだけだ」

だがヴォルターは、底気味悪い笑いで唇を歪ませる。

「これまで俺の真の顔を知った奴には、みんな消えてもらったけどな――」

「やめろ！　私は本当にそんな絵なんか知らない。神に誓ってもいい！」

そう叫んだラビ・コーヘンの恐怖におののく眼でさえ、ヴォルターは楽しんでいた。

「今晩は、おまえのその神が、どのようにこの銃弾をよけてくれるかが楽しみだな」

その声は冷たく、感情の起伏はない。

「助かりたかったら、そこにひざまずいて額を床にこすりつけながら懇願しろ。おまえの嫌いなイスラム教徒のようにな」

突き出された銃口を震える目で睨みつけながら、ラビ・コーヘンは躊躇っていたが、

「早くしろ！」というヴォルターの恫喝《どうかつ》に、亡霊のように立ち上がった。

力なく膝を折り、床につける。屈辱を噛みしめるように目を瞑《つぶ》ると両手を床に置き、その間に渋々と額をすりつけた。

ヘッヘッヘッ、と、ヴォルターが小さな、薄気味悪い、勝ち誇ったような嘲弄を洩らす。

それを蒼ざめた顔でききながら、ラビ・コーヘンは神へのお祈りを呟いた。

しかしその直後、籠もったサイレンサーの銃声が無情に鳴り響いた——。

秘木三木

七月中旬の暑いその日、伊勢神宮では、新たに造営される内宮《ないくう》の屋根に萱《かや》を葺《ふ》く作業が、朝から精力的に進められていた。調達された萱の束は二万三千束。七年かけて採取された萱を、二カ月掛けて葺く気の遠くなるような作業である。

今年、伊勢神宮では式年遷宮《しきねんせんぐう》を迎えていた。

式年遷宮とは、社殿《しゃでん》を定期的に新造・修復し、神儀《しんぎ》を旧殿から新殿へと遷《うつ》す一連の行事のことである。約五千五百ヘクタールの広大な杜に鎮座する伊勢神宮には、皇祖神アマテラスを祀る内宮と、食物の神豊受《トヨウケ》を祀る外宮《げくう》の正宮《しょうぐう》を筆頭に、付属する別宮《べつぐう》、縁故の深い祭神を祀る摂社《せっしゃ》や末社《まっしゃ》など、あわせて百二十五の宮が存在する。今回建て替えら

式年遷宮（伊勢神宮）

れるのは内宮、外宮のほか十四の別宮、計五十六棟。胴回り六十センチほどの真っ直ぐな檜が、約一万本用意された。

式年遷宮で造りかえられるのは建物だけではない。参道に設けられた橋類、正宮を取り囲む板垣《いたがき》や御門なども築造される。神さまの御装束類もすべて新調され、社殿内に奉安される装飾が施された宝刀、彩色された馬の彫刻、弓矢、機織りなどの神宝類も古式に則《のっと》り材料が調達され、伝承された製法ですべて新造されるのである。

八年にも及ぶ時間と今回五百五十億円もの総費用を掛けて執り行う式年遷宮は、名実ともに伊勢神宮最大の行事なのだ。

前回式年遷宮が挙行されたのは、ちょうど二十年前。戦乱などの理由で不可能なとき以外、式年遷宮は二十年に一度規則正しく遂行されてきた。その都度、伊勢神宮は再生を繰り返し、

式年遷宮で新たにつくりかえられる正宮（上　画像提供:共同通信社）、宇治橋（下）

復活をとげてきたのである。

世界を見渡せば、バベルの塔、ピラミッド、ソロモン神殿、パルテノン神殿など、頑強な石材でできた建造物は枚挙に暇《いとま》がない。そのどれもが歴史のなかに風化し廃墟と化していくなか、脆弱《ぜいじゃく》で真っ先に朽ち果てそうなこの白木《しらき》造りの建物だけが、創建当時人々に見せた姿をそのまま今日に残しているのである。式年遷宮は、世界中の誰もが想像し得なかった、常若《とこわか》と永続性を創出するシステムでもあったのだ。

ご神体を遷す作業とあって、遷宮は神事《しんじ》でもある。最初の木の伐採から正殿の柱建て、完遂を喜び御神楽《おかぐら》と秘曲《ひきょく》を神前に奏《そう》する儀にいたるまで、各工程は神職が取り仕切る古式ゆかしい祭りによって始められる。今回も、式年遷宮最初の儀式、山口祭《やまぐちさい》が二〇〇五年五月に執行され、安全が祈願されたのちにすべてがスタートしたのであった。

山口祭のイメージ

古今東西、神事には秘密がつきものだ。伊勢神宮の式年遷宮にも秘密があった。

実は、極秘で行われる祭りが一つだけあるのである。最初の山口祭に次ぐ式年遷宮二つめの神事として執り行われる木本祭《このもとさい》と呼ばれるその祭りは、以前は部外者にはその存在さえ知らされなかった秘中の秘の祭りであった。

今日においても、天皇陛下が自ら日時をお定めになったあと、いつ、どこで、誰が、どのように行う祭りなのか、ごく数名の参加者以外には一切知らされない。たとえ関係者であっても、口に出すことさえ禁戒されている異例の秘祭《ひさい》なのである。

しかし一方で、その目的は単純で明快であった。隣の神路山《かみじやま》から一本の檜の木を伐《き》り出してくること。それが唯一の目的なのである。御料木《ごりょうぼく》は、心御柱《しんのみはしら》という不思議な柱として使われる御用材《ごようざい》であった。

実は伊勢神宮の式年遷宮には、「秘木三木《ひぼくさんぼく》」と呼ばれる神聖な秘密の御料木が三本ある。うち二本はご神体を納める御樋代木《みひしろぎ》という入れ物をつくるための御神木《ごしんぼく》と、御樋代木をさらに納めるための器、御船代《みふなしろ》を造るための御用木《ごようぎ》、御船代木《みふなしろき》である。これらの御神木は、式年遷宮ごとに認定される御杣山《みそまやま》と呼ばれる特別な山から天皇が日時を決定する御杣始祭《みそまはじめさい》を経て調達されるが、特に秘密裏に行われることもなく、御神木をほかの神職が見ることもできた。

ところが残りの一本、木本祭で伐り出された心御柱は別格であった。御神木を見るどころか、口に出すことさえ戒められているのである。

なぜか――。

その本当の理由を知る者は多くいない。今日にいたるまで、関係者からまれに洩れきく話以外、情報はほとんど皆無なのであった。

伊勢神宮の式年遷宮に使用する御用材の伐採(画像提供:共同通信社)

O、D、C

窓の外にはのどかな田園風景が流れていた。翌朝、四人は、伊勢神宮に向かうため新幹線のなかにいた。平坦極まりない単調な展開に、気抜けした様子だったデービッドがハタと椅子から跳ね起きた。

「あ、そういえば賢司、昨晩、日本人とユダヤ人のＤＮＡのことネットで調べたか？」

いや、と洩らしながら賢司は首を振る。

「それが、神輿のことを調べていたら、つい時間切れになってしまったんだよ」

沈んだ空気が流れ込みそうだったが、脇からイラージがすぐにかき消した。

「科学のことだから、僕がちょっと調べたよ」

咄嗟に反応するデービッド。

「で？　何か面白いことあった？」

イラージはゆっくりと首を縦に振った。

「すっごく」

よし、といわんばかりに膝を叩きながら、デービッドはさらに詰め寄る。

「で、失われた十支族は日本にやって来たのかよ？」

当のイラージはさばさばした顔でカバンから小さなノートを取り出した。

「まぁ、順番に説明するから待てよ」

さっと目を通し、いつものようにノーブルなブリティッシュ・アクセントで語り始めた。

「日本人のＤＮＡを調べてまず初めに驚いたのは、日本人はネアンデルタール人の親戚のデニソワ人と最も混血した民族だということだ」

「えっ⁉　ネアンデルタール人？　――って、ニンゲンと混血してイタっけ？」

尖り声を発した王にも、イラージは無表情に頷いた。

「僕も知らなかったけど、最近のＤＮＡの研究でネアンデルタール人は人間と混血していたことがわかった。特に日本人は、混血した形跡が最も多く残っている民族だ」

このときぞとばかりに、王はおちょくった視線をデービッドに投げつける。

「ねえ、ねえ、デービッドのカノジョは、ネアンデルタール人ダッタかもね」

うっかり吹き出すデービッドに横目をくれながら、イラージは先を続けた。

「もう一つ面白いことがわかった。太古の昔、人類がアフリカを脱出してアジアにたどり着くと、北上して中国人になったグループと、南下して東南アジア人になったグループに分岐した。ところが縄文人は、そのどちらのグループにも属さないことがわかった。縄文人はその分岐前の人間で、現在、地球上に縄文人と同じＤＮＡを持つ人間は存在しない。だから、太平洋の島々にいた東南アジア系の民族の一部が北上して縄文人になったという説が以前あったようだけど、これも明確に否定された」

「人間でないネアンデルタール人と、地球上ほかにソンザイしないニンゲンがマザッテ日本人の先祖になった。ムカシから日本人はカワッタ人たちだとオモッテいたんだよナ」

今度は小突き回すようにいいながら、王は苦笑いする賢司を盗み見た。イラージはまた淡々と続ける。

「で、ここからが本題。まず、ＤＮＡを調べるといっても、大きく分けて二つの方法がある。Y染色体を調べる方法と、ミトコンドリア染色体を調べる方法。難しいことを省略していうと、Y染色体を調べると父方の系統のことがわかる。お父さんの、お父さんの、お父さん……って、男系の歴史を遡っていける。逆にもう一方のミトコンドリア染色体は、お母さんの、お母さんの、お母さんの……って、母系の歴史をたどれる」

イラージはひと呼吸おき、みんなが理解できているか見廻して目を確認した。

「で、僕はまず情報の多い日本人のミトコンドリア染色体をアジアの他地域のと比較してみたんだけど、すぐにわかったのは、日本人は北東アジアや東アジアの人たちと同じようなパターンを持っていて、いくつか特徴はあるんだけどさほど多くないということだ。ところが次にY遺伝子の情報を見ると、驚きの事実が判明した」

息を呑んで固まっている賢司に、イラージはほくそ笑む。

「それを理解するためにまず基本を説明すると、人間の遺伝子調査って、遺伝子構造によってハプログループといういくつかのグループに分けることから始まる。Y染色体の場合、大きく分けてAからRまで十八のハプログループがある。しかし各民族がすべてのハプログループを持っているわけではなく、通常は三つか四つだ。だからハプログループの分布を見れば、民族や地域の関連性がわかってくるんだよ。例えば日本人に多いのはハプログループOと、Dと、Cの三つ。その構成比は大体Oが五十%、Dが四十%、Cが九%だ」

「まわりくどいことはいいから、結論はどうなんだよ」

しびれを切らしたデービッドがせき立てた。

「まあ、待って。まず最初にわかったのは、日本人はよく単一民族といわれるけど、Y遺伝子的にはとても多様な民族だということだ。例えば人間がアフリカを出たあとのハプログループは構造によってCグループ、DEグループ、F～Rグループの三つの大きなグループにまとめることができるけど、日本にはこれらすべてのグループが存在する。そんな地域は世界中どこにもない。日本だけだ」

「ということは、やはり東の果ての日本はさまざまな民族の最終目的地だった？」

賢司の真顔の問いに、イラージは軽く頷いた。

「確証はないけど、そうかもね。朝日が昇る方角を目指すことは、古代人にとってわりと自然なことだったのかも知れない。あと、さっきもいったように、日本人はOとDとCが多い。このうちOとCは中国、モンゴル、朝鮮半島などの地域にも多く存在することがわかっている。ところが不思議なことに、日本に四十％もいるDはこれらの地域には存在していないんだ。ほぼゼロ％といっていい」

「ハプログループDは、日本人特有のグループということ？」

賢司の声には高まる期待が滲んでいたが、イラージは平然とこたえた。

「いや、それが、世界でほかに一カ所だけあった。Dが多く存在する地域が――」

王が、そっと前に乗り出してきた。

「ソレ、どこ？」

贄

兼平正人《かねひらまさと》宮司が度会から連絡を受けたとき、長野県の諏訪大社では創祀《そうし》以来続いてきた祭祀、御頭祭《おんとうさい》の稽古の日を迎えていた。創祀といっても日本で最も古い神社の一つである。今日においては、諏訪大社が創建された年でさえ知る者はいなかった。

兼平は第七十八代の宮司。一代二十五年と想定してもざっと二千年弱。この数字が示唆するように、諏訪大社の神は諏訪の地を守ってきた守護神でもあった。

「もうこれ以上、深入りしないほうがいい」

これまで兼平は、幾度となく海部に忠告してきた。

「そのときがくれば明らかになるものだ。そのときとは、神のみが決めることだ」

何の使命感からか先を急ぐ海部は頑なだったが、兼平は諫《いさ》め続けた。

歴史のなかで、どれだけ多くの人が消え去っていったことか。ある者は不思議な力で社会的信用を失い、ある者は職を追われた。なかには命さえ失った者もいたではないか。冷たいかも知れないが、兼平は海部の死について自業自得だと思っていた。禁断の神の領域に足を踏み入れようとしたのだから。

友情と信仰は別である。友としては哀れであるが、神職の立場としては致し方がない。

そのとき、耳を突くような神楽笛《かぐらぶえ》の音色が宙に舞った。

兼平は妖しい調べに我に返り、祭祀の準備に戻った。目の前に横たわる樅《もみ》の木の太い柱にざっと目を通す。その柱は御贄柱《おにえばしら》と呼ばれていた。〝贄《にえ》〟とは生贄《いけにえ》からきている〝神へ捧げる〟という意味であった。

正面の若い神職がやおら立ち上がり、古びた木箱を持ち出して兼平の前にそろりと置いた。兼平はなかから慎重に短刀を両手で持ち上げ、柄《つか》を右手でそっと引き抜く。

スーッ、とするかしないかの微かな音とともに、それは姿を現した。静かな妖光が美しいほどの怖さを感じさせる耀《かがや》きであった。

柄頭《つかがしら》を口元で握りしめ、研ぎ澄まされた切っ先に視線を移してみる。白刃に祭壇《さいだん》を飾る榊《さかき》の冷たい模写が顕れた。——本物よりきれいだった。

つけ入る隙のないその霊《くし》びな仮相に会心すると、兼平は刃を白鞘《しらさや》に仕舞いながら焼き込まれた刻印にそっと目を落とした。

それは、朴《ほお》の白木《しらき》に黒々と浮かびあがる烏《からす》の紋章だった。

Dの意味

「中東か?」

デービッドが獲物に飛びつくような眼で声を荒らげた。

「いや」

イラージにとっても思いがけないことだったらしく、もったいぶる。珍しくニヤッと笑った。

「それがチベットからミャンマー、その海にあるアンダマン諸島にかけてなんだよ」

「ミャンマー？　確かミャンマーは、ヘルマン氏のアミシャブが八十年代にマナセ族を発見して、八百人ほどをイスラエルに帰還させ、永住させた地域――」

か細い声でいいながら、賢司は心臓に杭《くい》を打たれたような衝撃を感じざるを得なかった。

「どういうことだよ？　中東から見つからなかったということは、中東とはやっぱり関係ないということか？」

デービッドの声色は、少し落胆したような響きにもきこえた。

「いや、それがそうともいえないんだ。さっき中東にDはいないといったけど、実は北東アフリカにはDが少数残っているんだよ。それに調べてわかったのは、このDというグループはYAPと呼ばれる突然変異でできた非常に珍しい塩基配列を備えている。そのYAPを持っているハプログループが、ほかにもう一つだけあった。中東に多いEだ。DとEは中間のDEというハプログループがあったぐらい遺伝子構造的に近い」

賢司は思わず声にしながら整理し始めた。

「Dは日本とミャンマー周辺にいて北東アフリカに少数いるけど中東にはいない。逆にEは中東にいるけど日本にいない。構造的に非常に珍しいYAPを持つ人たちが、世界

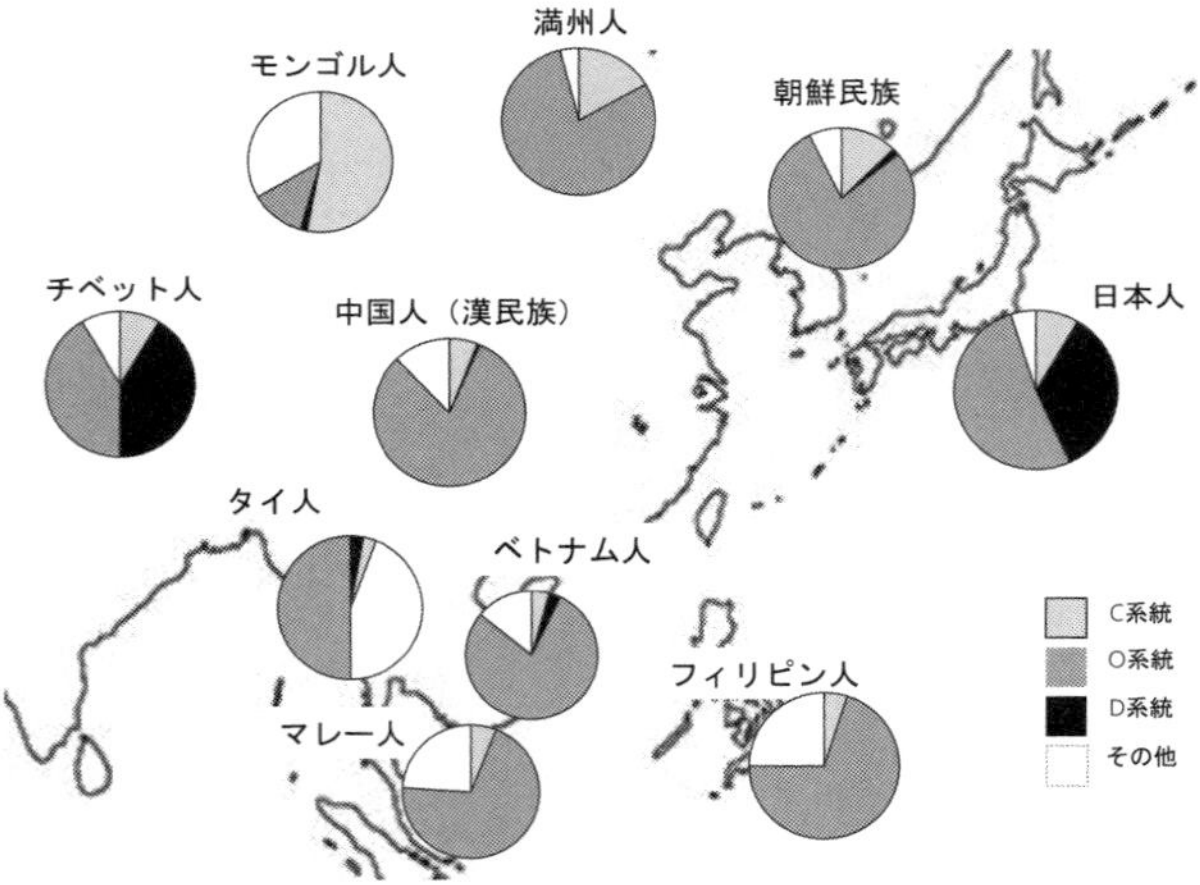

Y染色体ハプログループの分布（東アジア）

中で中東、ミャンマー周辺、日本だけに存在するということは――」

「それで今度はユダヤ人のDNAを調べてみた。ユダヤ人はいくつかのハプログループに属しているけど、そのなかのグループの一つがEだった。因みにアインシュタインもEということだ」

「どういうことだよ？」

上ずった声のデービッドの問いに、イラージは整然とこたえた。

「一つ考えられるのは、中東・北東アフリカからDのグループが途中の地域に定住せず、比較的速いスピードで日本へ行ったが、何かの理由で分かれたグループがチベット・ミャンマー地域に残った。中東・北東アフリカに残ったDの殆《ほとん》どは環境に適応できずに絶えたということかな」

　デービッドが不満げに再び問いかけた。

「でもユダヤ人がもつハプログループは日本にいないんだろ？」

　イラージは意味深な目でデービットを見つめる。

「いや、それが、ミャンマーのマナセ族や、その後ユーラシア大陸で発見されたエフライム族は、実はＤだったんだよ——」

Y染色体ハプログループの系統と主な分布地

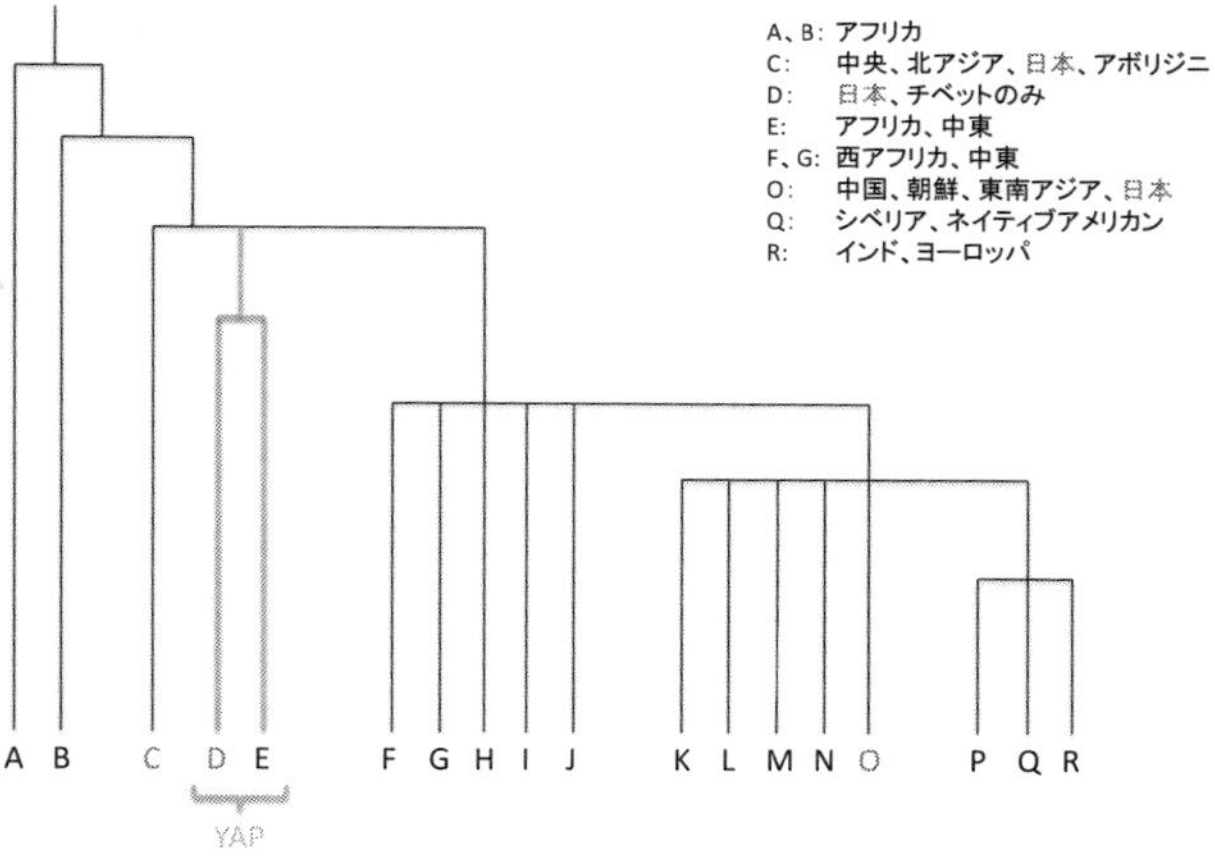

冷酷な奴

ギトギトした暑さの新幹線名古屋駅ホームに降りたところで、小橋は汗を腕でぬぐいながら電話を受け取った。

「――小橋か？」

「そうです、斎主《さいしゅ》」

小橋の声色には、いつもより緊張した斎主の語勢が乗り移っていた。

「警視庁に、日本ユダヤ教団から通報があった。ラビのヨセフ・コーヘンが殺害されたよ」

不意を突かれたように、小橋は反応できない。

「コンピュータと資料をそっくり持っていったようだ」

「誰が殺《や》ったんですか？」

「それが、まったくといっていいほど情報がない。銃弾の線条痕も記録にないもの――恐らくは、どこかの国が必要になるときまで長年潜ませていた諜報員のうちの一人だろう」

言葉を失っている小橋に対し、斎主は多少いいづらそうに一つだけ加えた。

「しかし、一つだけわかっていることがある。……ラビ・コーヘンは、床に土下座をしているところを、後頭部を撃ち抜かれている」

えっ？　と、込み上げてきた恐れのような驚きが思わず声に洩れた。

「犯人は、非常に冷酷な奴だ――。気をつけろ」

最高神、太陽神、皇祖神

四人が伊勢市駅前に降り立ったとき、バス停のほうからゆらゆらと蝶《ちょう》の舞いのように歩み寄るものがあった。白地の涼しげな和服に身を包んだ清楚《せいそ》な趣の女性が一人、上品な笑みを浮かべている。

「お久しぶりね、デービッド」

女性はたおやかな表情を崩さず、流暢な英語でいった。

「相変わらず美しいね、清美《きよみ》は」

デービッドは面映ゆい顔でどこかモジモジしている。

「あら、お世辞なんかいったってダメよ。私なんかもう六歳の娘がいるんだから」

「オー、それは本当に残念だ」

茶化して肩をすくめたつもりのようだが、なんとなく寂しさが透いて見えた。

「ところで、みんなを紹介するよ。まずこちらがボスだった賢司、彼が喧嘩《けんか》仲間の王、隣の彼がロケット・サイエンティストのイラージ」

三人は順に挨拶をしたが、ぽかんとした様子だった。

「いやぁ、ごめん、ちょっと俺のキャラじゃないから恥ずかしくていえなかったんだけど、彼女は清美といって、以前婚約までしていた女性なんだ」

「父がどうしても許してくれなくて、解消しちゃったけど。いまだから笑える話ね」

いいながら清美は少女のような微笑《ほほえ》みを浮かべていた。

「彼女は以前、伊勢神宮で巫女として務めていたんだよ。だから、いろいろ伊勢神宮の裏表も知っていると思って、事情を話して来てもらったんだ」

清美が賢司に真顔でいう。

「これまでの経緯はデービッドからききました。事情が事情だけに、今日は普段あまり外部の方にはお話ししないようなことも、私の知っている限りお話ししようと思っています」

その気遣いに賢司が謝意を述べると、デービッドはこれ見よがしにしたり顔になった。

外宮参道は市街地のなかを五百メートルほど続き、境内《けいだい》の参道に直結していた。歩き始めると時を移さず、賢司がウズウズしながら問いかけた。

「ところで伊勢神宮では、なぜ神道の最高神で皇祖神《こうそしん》であるアマテラスを先に参拝しないんですか？」

正式な伊勢神宮の参拝手順では内宮の前に外宮を参拝する。一方、ほかの神社では、参拝するのは主神《しゅしん》からだ。賢司にはそれがどうしても引っかかっていたのだ。

清美は前を見ながらゆっくりと頷くと、言葉を選ぶように説明しだした。

「私が伊勢神宮でお務めしていたときも、よくその質問をされましたね——。まず、伊勢神宮では内宮のアマテラスだけでなく、外宮の豊受《トヨウケ》も主祭神《しゅさいじん》なんですよ」

予期した回答だが、改めてきいてもイマイチ説得力に欠ける。

「でも、それって、そもそもおかしくないですか？　神道の最高神と、その最高神に食事を提供するための神が同格に祀られるって？」

「ええ、まあ——。ひと言でいえば、神宮が対外的に説明していることと真実は、まったく異なるということですかね。政治的というか——、謎だらけなんですよ、伊勢神宮って」

なんとなく歯切れの悪くなった清美に、顔色をうかがうような視線を賢司は投げた。

「それ、どういうことですか？」

「例えば——、そもそも外宮のほうが伊勢の中心地にあるんですよ。それに、外宮先祭《げくうせんさい》といって、一年を通して祭りのほとんどは外宮が優先的に行われますし。神さまに捧げる神饌《しんせん》というお食事でさえ外宮には毎日朝夕二回捧げますが、内宮には年に三回だけです。もともと日本神話でもアマテラスは最初に生まれた神ではないし、日本を生んだ神でも、国作りをした神でもありませんしね」

賢司は口を尖らせた。

「でも、豊受って、アマテラスにお食事を提供するために伊勢にやって来たのでは？

なのに自分だけ毎日二回食べて、アマテラスは年に三回だけですか？」

「いや、一応、説明では、外宮の御饌殿《みけでん》という、いわば神々の食堂のような場所にアマテラスもやって来られて一緒に食事をするということになっています。でも、本当かどうか。だって、だとすると、年に三回内宮で食事をとる理由がわからなくなってしまうので」

そう説明した清美の口調にも、困惑のようなものが入り交じっていた。

しかし、これでは賢司の気もおさまらない。傍から王も、おちょくるような口を挟んだ。

「デモ、外宮にわざわざアマテラスが出向いて食べるというのはオカシイですね。逆だったら理解デキマスが。これじゃ、ドチラが最高神なのかワカラナイ――」

ここで、いままでずっと静かだったイラージの冷徹な声が割り込んできた。

「確かに外宮は伊勢の中心地、内宮は平地の外れ、山々の麓にある。そのほかの扱いを考えても、アマテラスは最高神ではないね。でももっと驚きなのは、

外宮にしかない御饌殿

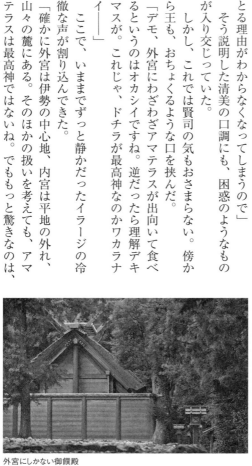

太陽神でもないことだ」

矢を射るようなみんなの視線が、イラージを刺した。

そのイラージは立ち止まると、スマートフォン内の伊勢神宮周辺地図をみんなに見せつける。

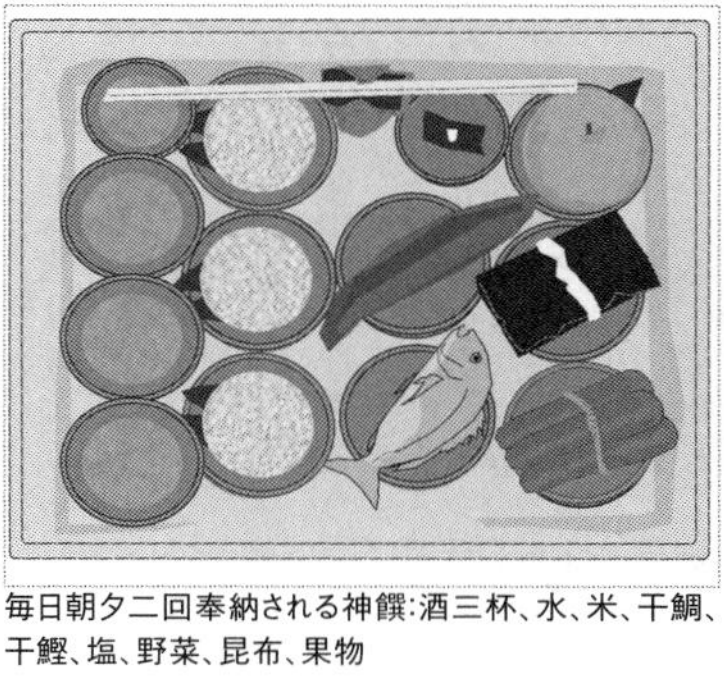

毎日朝夕二回奉納される神饌:酒三杯、水、米、干鯛、干鰹、塩、野菜、昆布、果物

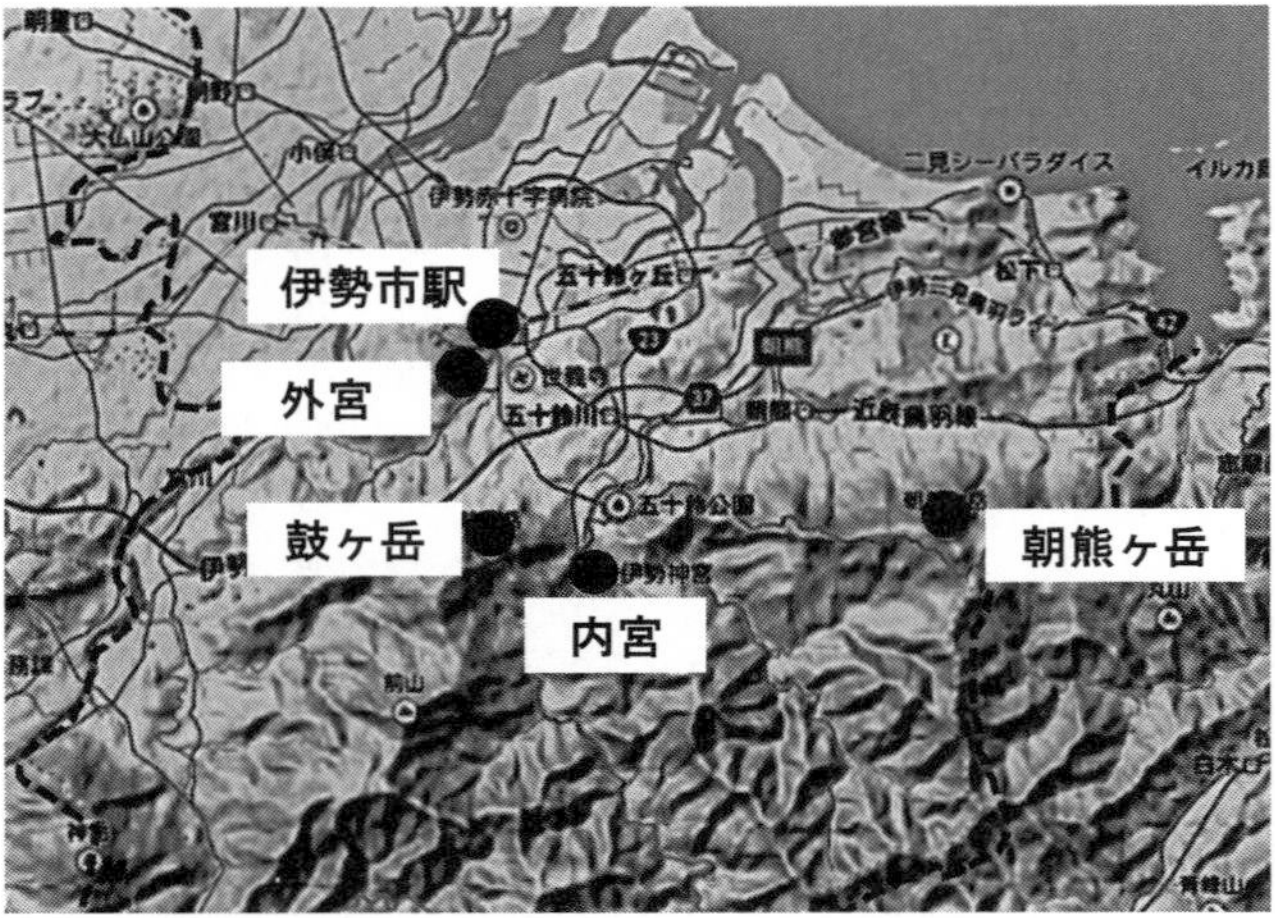

山の麓にある内宮

「ほら——、内宮の東には朝熊《あさま》ヶ《が》岳《たけ》という五百メートル級の山がある。西にも四百メートル級の鼓《つづみ》ヶ《け》岳《だけ》がある。つまり、日の出は遅く日の入りは早い。南も山で、参拝者は太陽に背を向けてアマテラスを拝んでる——こんな太陽神がいるわけない」

イラージの大胆すぎる推論に、賢司は正直、そんなことがあっていいのかと思った。

しかし、いざ地図を見てみるとうまい反論が出てこない。

すると清美が申し訳なさそうな口調で、さらに奇妙な話を切り出した。

「あのう、伊勢神宮にお務めしていた私が、こんなことをいってはいけないのかも知れないんですけど——実は、アマテラスは天皇家の皇祖神でもないかも知れないんですよ――」

えっ？　響《どよ》めきとともに動揺が走った。

「伊勢神宮が現在のかたちになったのは、七世紀の終わりから八世紀にかけてといわれています。そのとき、中心的にかかわった天皇の一人が、持統《じとう》天皇という女性の天皇なんです。でも持統天皇は伊勢への行幸は行いましたが、伊勢神宮へは参拝どころか代拝《だいはい》さえ行ったという

第四十一代持統天皇

記録はありません。当時は交通事情も悪く、ヤマトから伊勢まで参拝に来るのは大変だったろうと思われます。しかし、そもそも天皇家が暮らしていたヤマト地方に神宮をつくらず、こんな不便な伊勢につくったこと自体が不自然だし、謎なんです。そして結局、日本で最初に伊勢神宮を参拝した天皇は、なんと十九世紀の明治天皇なんですよ」

「十九世紀ですって⁉」

同時に声を張り上げながら四人は揃えたようにのけぞった。

「東京に遷都した後、最初に天皇が参拝した大宮の氷川神社《ひかわじんじゃ》の主祭神も、もともと大和や熊野で参拝していた神社の主祭神もアマテラスではありません」

とんでもない事実だ。アマテラスが神道の最高神でも、太陽神でも、皇祖神でもない？

そもそも伊勢神宮へは、神道に対する理解を深めようとやって来た。だが、これでは謎が深まるばかり。暗中模索だった自分が、そのまま五里霧中に落ち込んでいくような

気さえする。

　隣でデービッドも、まったく解せないというように零《こぼ》したが、ふと思い出したように右手を上げ何かを指さした。

「そういえばいま思い出したけど、あれちょっと見てくれよ」

　そういってデービッドがみんなの注意を引いたのは、伊勢地方では一年中玄関先に飾ることが一般的な『蘇民将《そみんしょう》来子孫家門《らいしそんけのもん》』と書いてある注連縄《しめなわ》だった。

「俺、昔、清美からあの魔除けにまつわる説話をきいたときぶったまげたんだよ。ある日、旅人が宿に困ってある民家を訪ねると、蘇民将来という主《あるじ》が貧しいにもかかわらず親切にもてなしてあげたらしい。しかしその旅人は実は天使で、後日疫病が流行ったとき、蘇民将来とその家族を助けてあげたとかいう話——」

　脇で頷く清美をよそに、賢司が声を荒らげた。

「それって、ロトの話とソックリじゃないか。ほら、ある日、旅人がソドムの町のロトの家を訪れたとき、ロトがその旅人をトラブルから守ってあげると実はその旅人は天使

蘇民将来の注連縄

天使に助けられソドムの町から脱出するロト

で、神が後日ソドムの町を滅ぼしたときロトとその家族を救ってあげたという——旧約聖書のソドムとゴモラの有名な話」

デービッドが薄気味悪そうな笑みを零しながら加えた。

「ああ。しかも驚くなよ。『蘇民』は蘇《よみがえ》る民で『将来』はフューチャーだから、蘇民将来は『将来に蘇る民』っていう意味。つまり、ユダヤ人が自分たちを指して称する民族の名のことだよ——」

僅かな遅れのあと、みんなは思わず唸り声を上げる。

と、王は恐れずその言葉を発した。

「こんな訳のわからないところに祀られているアマテラスって、一体誰なんだよ？」

しかしこれを最後に、四人は何を質問すればいいのかさえわからなくなったように黙り込んでしまった。疑問は次々に思考を遮ったが、どれもが言葉にならず、霧のように消えていった。

そして賢司はこれから何を目撃するのかまったく想像できないまま、静閑な境内に足を踏み入れた。未だ解き明かされていない謎に心を揺さぶられ、未知の真実がそこに隠されているかもしれない予感を、ひしひしと感じながら——。

外宮参道

神の道

神域の深い静寂がそれまでの喧噪を覆い包むと、賢司たちは時空を超えた神聖な空気に一気に呑み込まれていった。

静謐《せいひつ》な杜に漂う霊気と、そこに棲《す》まう神々の息吹《いぶき》。身体全体で神の気配を感じながら、賢司は込み上げてくる不思議な畏怖の念に思わず息を呑んでいた。

「外国の方もみんな圧倒されるんですよ、この霊妙な空気に――」

賢司の顔色から察したのか、清美がかしこまった声色で呟いた。

ほかの三人も畏敬の念からか、まだ言葉に窮していた。清美が加えた。

「イギリスの著名な歴史家トインビー氏が参拝されたとき、伊勢神宮はすべての宗教の根源的な統一性を感じさせる聖地だといわれたんですよ――」

みんなの足下では、まだ参道の玉砂利の音だけが歩を進めるごとにさざめいている。耳を澄ますと、それは静かに千秋の杜にこだましていた。

やがて賢司もしんみりという。

「なぜだろう？　神道の教義って、ほかの宗教と矛盾しないのでしょうか？」

「実はそもそも神道には、開祖もいなければ教義も教典も戒律もないんですよ。ユダヤ教もキリスト教もイスラム教も仏教も文字が発明されたあとに成立した宗教ですが、神道は文字ができる前に自然発生的に生じた宗教なんです」

イラージが鋭い視線で切り返した。

「理性より感性が上位にある宗教ということですか？」

「そうともいえますね。神道はほかの宗教のように論理の上に成り立っているのではなく、心の上に成り立っているといえると思います。だから神道には明示的な真理も、善悪も、正義も、悪も、罪も、罰も、業《ごう》もありません。高天原《たかまがはら》という神々がいるところはありますが、どんなに善行を行っても人間が死後行けるところではないので天国ではありませんし、黄泉《よみ》や常世《とこよ》や幽界《かくりよ》も罪を犯した人が行くところではないので地獄ではありません。でも逆に、神道にはもっと感性的な清いものと穢れたものの区別や、美しいものとそうでないものの区別などはあります。日本人が日々の生活のなかで、なんとなく心のどこかに感じている〝清く〟、〝正しく〟、〝美しく〟といった美学は、神道からきている感性です」

賢司はそれをききながら、ユダヤ教にも黄泉のようなところはあるけど地獄はないことを思い出していた。一息ついた清美が続ける。

「ですから外国の方には、神道は宗教として不可欠なものを欠いているので宗教とは呼べないといわれる方もおられますし、実際、多くの日本人も自分は宗教を信じていないと思っています――毎年神社で参拝する人はメッカに巡礼するイスラム教徒より多いんですけどね。でもまったく教えがないというわけではないですけど。強いていえば、自然の理法に従って生きるってことでしょうか」

賢司はその話に納得していた。

「自然の理法に従うですか――。そういえば日本の文化って、建物でも、アートでも、料理でも西洋のもののように自然とは戦わないで、逆に溶け込もうとしている感じですよね」

「そうなんです。実は日本にはもともと自然と個人の区別はなかったし、そもそも自然と個人という言葉さえ、明治時代に西洋から持ち込まれるまでは存在していなかったんですよ」

「自然も人間も不可分な全体の一部分――。確かに、これ以上ないってくらい日本っぽい」

賢司は思わず呟いていた。清美は深く頷くとまた続けた。

「あとは〝産霊《むすひ》〟という概念です。一粒の米から約四百粒の米が育つように、〝育てる〟ということがとても重要視されますね。道徳的な善悪以前に、生命力のあるものを生み出すことはすべてにおいてよいものとされています」

今度は王の口から合点がいったような言葉が洩れてきた。

「日本のカワイイアイドルや漫画やゲームのヒーローはよく、ドコカ不完全さをもっていて、ファンはソダテルことを楽しんでいますよね。ソレが日本の深いところに根ざしているってワカリましたよ」

「そうなんですよ。教義や教典より深いところで影響している感じです。英語の宗教(religion)という言葉はラテン語のreligareに由来して、〝結びつける〟とか〝縛りつける〟という意味があります。その通り、外国の宗教はコンピュータでたとえていうとプログラムみたいですが、神道はむしろOS《基本ソフト》のような感じです。こうしなさいって、命令されないですから。そもそも日本の神さまはなにも教えないし、縛りつけるものがなにも無いんです――。明確な教義がないからこそ、すべての宗教を矛盾なく受け入れることができる抱擁力があると、どなたかが仰《おっしゃ》っていたわ」

デービッドが得意げにつけ足した。

「あっ、そういえば、ジョン・レノンの『イマジン』の〝宗教のない平和な世界〟ってのは、彼が伊勢神宮を訪れたときのインスピレーションからつくったらしいぜ」

賢司は少し驚いたようにそれに頷くと問うた。

「そもそも神道とは、どういう意味なんですか?」

「シンは神で、トウは道という意味です。つまり〝神の道〟です」

その説明に賢司は驚いたようにピクリとした。聖書では、神が『私の道』という言葉で信仰を表現する箇所がある。神の『私の道』――つまり、神道だからだ。清美が続ける。

「神道は神教でも神法でもないんですね。〝道〟というと〝人の守るべき義理〟とか〝宇宙の原理〟とか〝教え〟とかいう意味があります。神道の〝道〟の場合、中国からきた儒教でいう〝天の道〟の〝道〟のように人の上に立って教えたり、法で縛ったりはしません。日本の武道や茶道の〝道〟のように、各自が自分の言葉で自由に表現でき、受け入れ側のありようでいかようにでも変わりうる〝道〟って感じです――昔、免許皆伝を受けた弟子が師範のもとを離れたあとに自らが探求する〝道〟って感じでしょうか」

ここでイラージがまた鋭い洞察を述べた。

「僕は以前から、現代社会で何事においても比較的判断が早い西洋人は能動的で、判断が遅い日本人は受動的だと考えていたけど、いまの話をきいて事実はそれと正反対だということがわかりましたよ。先に宗教的な教えを受け入れて、それに対する反応として価値判断する西洋人。しかし神道には初めに受け入れるぼんやりした世界観はあっても明確な教えがなく、日本人は自分から能動的に判断していく」

「だから日本人は一度決断すると、実行力が強いといわれるのでしょうか」

と、清美が笑った。

賢司の眉間の皺が少し浅くなった。

「今日ちょっと話をうかがっただけでも、日本人が持つ独特な世界観や価値観のルーツに対する理解がなんとなく深まったような気がします」

「価値観ということでいうと、近年、災害時の対応や低犯罪率などから日本人の公《おおやけ》の場での行動が海外でも取りざたされていますが、それは神道と切り離せない米作文化と直結していると思いますね。水田では畑と違い、連作障害が起きないし、追肥も不必要です。一度開墾すれば毎年同じ場所でずっと収穫できるわけですから、畑作の十倍以上の効率があるといわれています。ですから日本では、貧富の差は畑作文化圏とは比較にならないほど小さかったですし、少人数でもみんなで協力し合えば水田を維持できたので、そもそも奴隷なんて必要なかったんですよ――最初に畑作文化が入り、そのあとに米作文化が入った朝鮮半島とも日本の価値観が大きく異なるのは、このためだと思いますね」

今度はイラージが頷きながらいった。

「確かに、土地が肥えて水が豊かな日本では稲作は適していますね。でも、さっき改めて地図を見てわかりましたけど、ある程度の人口を支えるだけの面積があり、他のメジャーな文化圏に近く、しかも渡るためには多少の困難を伴っても難しすぎない海によって阻まれている温帯に属する島国は世界広しといえども日本しかない。イギリス、マダガスカル、ニュージーランド、どの国も部分的にしか当てはまらない。外からの侵略の心配もほとんどないそんな地に辿り着いた日本人の先祖たちは、本当にここが天国ではないかと錯覚したのではないでしょうか。アフリカを出発して以来、こんな豊かで安全で過ごしやすい自然環境はどこでも見たことなかったでしょうから」

賢司が納得したような表情で呟いた。

「そしてその人たちがどんな宗教を持ち込んで来たとしても、次第に忘れ去られていったのでしょうね。ここではガイダンスは必要なく、自然に感謝し自然と共存すれば生きてゆけたから——そして、やがてその自然を崇拝する神道が萌芽《ほうが》していった」

清美も四人を見回しながら頷いた。

「はい。ですから日本人の〝公《おおやけ》〟に対する価値観は、この豊かな自然のなかで人々が誠実に生き、協力し合って同じように生きるという、神道と米作文化のなかで醸成されてきた社会に対する信頼をベースにした価値観なんです」

聖書の旅

清美は優しい垂れた目で賢司に微笑むと、今度は前方の鳥居を指さした。

「あれは鳥居というものです。時代によって形は十以上もありますが、伊勢神宮のは神明鳥居《しんめいとりい》という形です」

伊勢神宮の鳥居（神明鳥居）

「伊勢神宮のこの鳥居は、一番古い形の鳥居なんですか？」

最高位の伊勢神宮のこと。賢司は何気なくきいたが、返事は予想を裏切った。

「いいえ――。たとえば私の父はいま、大和地方にある大神神社《おおみわじんじゃ》という日本最古の神社で宮司をしていますが、そこの鳥居は垂直に立った二本の柱の上に渡す横棒がなく、代わりに注連縄《しめなわ》がかかっているだけです。でも今日、東京の三囲神社《みめぐりじんじゃ》にも残っていますが、昔はその注連縄さえなく、二本の柱が立っているだけだったときいています」

賢司の眉間に一瞬深い皺が寄ったのを、王は見逃さなかった。

「ドウしたんだよ、賢司？」

「いや、ソロモン神殿の前にも、二本の柱がその古い鳥居のように立っていたんだよ。聖書では、ヤキンとボアズという名で書かれているけど……実は、いまでもフリーメーソンの本部の前に立っているんだ」

デービッドが賢司の説明を遮った。

「そういえば、いま思い出したんだけど、入り口はアラム語で〝トリイ〟だぜ」

賢司が含みのあるような眼でデー

三囲神社に残された鳥居

ビッドを見つめていると、清美が手を伸ばして説明した。

「あれは手水舎《ちょうずや》といって、お参りする前に身を清めるものです」

そういいながらその前に立つと、清美は柄杓《ひしゃく》を右手で持ち、石の水盤に流れ出てくる水で左手、右手を順に清め、最後に口のなかを清めた。

「昔、ユダヤ人の神殿の内庭にも禊《みそ》ぎの場があったんだよ。当時は青銅製だったようだけど、いま嘆きの壁の前にある手水舎は日本と同じ石でできているんだ」

この賢司の意見には、デービッドが手を清めながら反応した。

「でも、ユダヤ人は右手から清めるけどな。シナゴーグに行くといまでもあるぜ、ミクベというお清めの場所が。ほかの人はビックリするけど、俺たちは身体を洗ってからその浴槽に入るんだよ」

ほかの三人も見よう見まねで手と口を清めると、清美のあとに続いた。

二の鳥居をくぐりしばらく進むと、右手に何かの建物が見えてきた。デービッドが説明する。

「これは神楽殿《かぐらでん》といって、昔、俺もぶったまげたんだよ。このなかで神職が榊《さかき》という植物の葉っぱのついた枝を、信者の前で左右に振り動かして穢《けが》れを取り除くんだぜ。俺たちユダヤ人も、十月の仮庵《かりいお》の祭りで、ヒソプの束をラビが振り動かしてお祓《はら》いをするからな」

説明をききながら、賢司は、レビ記にヒソプで清めることが記されていることを思い

ヒソプでお祓いをするユダヤ教のラビ（ヴァンミーター美子著『幻の橋』より）

ソロモン神殿の入口にあった2本の柱

ユダヤ教のお守り・アミュレット

ユダヤ教の神殿にあった洗盤

出していた。日本にはヒソプがないから、榊で代用したのだろうか――。

ひとり、思いを巡らせながらぶらついていると、今度は売店のお守りに息を呑む。

「これって、まさかアミュレットですか？」

まさにアミュレットとは、神の名や聖書の言葉などが記されたユダヤ教のお守りのことであった。清美がお守りについて説明すると、さらにいい加えた。

「以前イスラエルの主席ラビの方がいらして、やはり、お守りについてとても驚かれていましたね。でも、最も驚いていらしたのは、警備の仕方についてです。なにせ、伊勢神宮の警備の仕方、交代の仕方、交代の儀式、人数などが、ミシュナのタミドというものに書かれている、古代イスラエルの第二神殿で行われていた様式とまったく同じだそうです」

その説明に四人は立ち止まり、唖然とした顔で清美を見続ける。賢司は背筋がゾクゾクッとすると、体中が粟立っていくのを感じていた。

あり得ない。普通に考えれば、これらがすべて偶然だなんて絶対にあり得ない——。

「ラビは、『我々は、この事実を厳粛に受け止めなければいけない……』と驚歎《きょうたん》して、顔が引きつっておられましたわ」

隣で、王が放心したように吐露した。

「ナンか、俺、薄気味悪くナッテキたよ——」

「ここまでいろいろあると、確かに確率論的に疑いたくなるね。伊勢神宮の参拝って、まるで聖書の中を旅しているみたいじゃない？」

いつもは冷静なイラージの乱れ口調に、賢司も心の深い部分で何かが不安定になっていくのを感じながら母の言葉を思い出していた。

伊勢神宮訪問時、警備方法が古代イスラエルと同じ方法であることを発見したユダヤ教主席ラビ・シュロモ・ゴレン氏

偶然にしては多すぎる――。

しばらく、四人とも絶句していた。賢司も、いま自分の目が目撃していることが、本当は何を意味しているのか理解できずにいた。

「このすぐ先、右側に外宮があります」

清美の言葉で我に返ると、一行は再び玉砂利の音を響かせながら歩き出した――。

面接

「よお、こんなところで何をやっているんだ――」

外宮神楽殿《げくうかぐらでん》脇の木陰に身を潜めていた小橋は、いきなり肩越しにきこえた声にギョッとし、血の気の引いた顔で振り返った。

喪服のようなダークスーツを着込んだ大男が、小橋を見下ろすように反り立っていた。よく見ると、顔に馴染《なじ》んだ縁なしメガネをはずした宗村《むねむら》だった。宗村は以前、下鴨神社《しもがもじんじゃ》に奉職していた神職だ。同い歳とあって、小橋とは特に仲が良かった男である。

小橋は緊張を解きながら、不審がられないように喜色満面の笑顔を返した。

「おお、宗村、久しぶりだな。スーツ姿でメガネもないし、わからなかったよ。実は、今日近くまできたんで久々に参拝しようと寄ってみたんだけど、ちょっと暑いから日陰で休んでいたんだよ。ところでそういうおまえはもう、伊勢神宮で務めているのか？」

宗村は家族の事情で退職したあと、どうしても子供の頃からの夢である伊勢神宮で奉職したいと、就職活動を続けていると風の便りできいていた。

「いやあ、小橋も知っているとおり、そんな簡単じゃないよ。だから最初は神職ではなく一般職から始めてコネでもつくろうと思って、ご覧の通り今日はその面接さ」

ほかの神社と異なり、伊勢神宮の神職には、祭主《さいしゅ》、大宮司《だいぐうじ》、少宮司《しょうぐうじ》、禰宜《ねぎ》、権禰宜《ごんねぎ》、宮掌《くじょう》と六つの職階を置いている。祭主や大宮司は皇族や関係者しかなれないが、それ以外の神職でも、宗村のようなまったくのコネなしの人間にはなかなか得がたい雲の上のような地位だった。

宗村は、誠実そうな面貌にはにかんだような笑みを挟みながらも、その目だけはキリッとしていた。

「そうか、ガンバレよ。宗村なら絶対にできると思う」

職階のほかに、神社本庁には神職の職階制度がある。神宮では禰宜として務めるには最低でも二級上である必要があったが、しばらく離職していた宗村はまだ三級である。すでに二級上である小橋はそれを知っていたが、物堅い生真面目な性格に対する期待を込めた。

「ありがとう。ところで、そういう小橋はうまくやっているのか?」

「あ、ああ、まあな。ぼちぼちだよ」

一瞬の渋ったような奇妙な間に、宗村の眉間に不信の皺が寄る。だがすぐ、

「そうか。ならいい。俺はもう面接だから行くけど、親父さんやみんなによろしくな」

そういうと、いつものように雄々しく歩き去っていった。

隔絶と類似

伊勢神宮外宮の入口

「この塀のなかに屋根が見えますね？　外宮はあそこからさらに内側にあります」
四人は清美のあとに続いて正面のうら寂しい鳥居をくぐると、寂寥《せきりょう》を帯びた小さな萱葺《かやぶ》き屋根の軒下に立った。
清美は無言で財布のなかから小銭を取り出し、目の前に敷き詰められた純白の布の上にそっと置く。間を置かず、真摯な眼差しで二度正面に向かってお辞儀をして、二度胸の前で手を叩き、合掌しながら瞑目して何かをお祈りし始めた。
四人は息を呑みながらその一部始終をつぶさにうかがっていた。すると清美は、今度は一度だけお辞儀をして急にヒラリと振り返り、みんなを見回しながら微笑んだ。

「これが正式なご参拝の仕方です。二礼、二拍手、一礼といいます。伊勢神宮では、お祈りするとき、個人的なお願いはしません。ただ瞑目するか、お願いするとしても世界平和とか、国の平和とか、大きなことをお願いすることになっています」

その作法を見て昔を思い出したのか、デービッドは一連の動作を滞ることなく正しく参拝した。イラージは宗教上の理由で参拝を遠慮したが、賢司と王は、手を叩く回数が一回少なかったり、最後にお辞儀をするのを忘れたりぎこちない参拝だった。

それでもなんとか終えたことを確認すると、清美は「では、行きましょう」とあっさりいい、スタスタと歩き出した。

「えっ？　でも、外宮のなかを見ていないじゃないですか？」

不満げな顔色できいたのはイラージだ。

「ええ、日本の神社の本殿には、位の高い神職の方しか入れないんですよ」

振り向いた清美はそういうと、バッグのなかから外宮正殿《げくうせいでん》の外観写真を一枚取り出した。

四人は一斉に覗き込む。最初に賢司の目を引いたのは屋根だった。立派な萱葺《かやぶき》屋根で、千木《ちぎ》や鰹木《かつおぎ》と呼ばれる見慣れない竿《さお》や横木《よこぎ》がいくつも突き出している。本殿《ほんでん》は二メートルほどの高床式のようで、手前には霜除《しもよ》けの屋根がかかった立派な階段が据えつけてあった。

しかしそれ以外は特に印象はなく、全体として特徴も味気もない白木《しらき》の小屋に見えた。

「ソロモン神殿って、石じゃなかったっけ？」

諦めきれない様子のイラージに、賢司は慰めるような口調でいった。

「いや、石は使われていたけど、レバノン杉が多く使われていて、壁や床や天井はみんな木だったんだよ。これは檜でしょ？　レバノン杉と同じ虫の食わない木だね。あと、ソロモン神殿もレビ族だけが入れる聖所《せいじょ》と、大祭司が年に一度だけ入ることができる至聖所《しせいじょ》に分かれていて、至聖所は十二段の階段で地上二、三メートルのところにあったんだよ。この階段もいま数えたら十二段。そして一般人は、同じようにカーテンの外」

「でも、参拝するとき、お金を集めるための布が置いてあったでしょ？」

イラージはまだ納得がいかないようだったが、賢司は、聖書には王が神殿の門の外に箱を置かせ、税を主に納めたという記述があることを伝えた。

「なかには、何か豊受の偶像や絵のようなものがあるのですか？」

外宮正殿（画像提供:共同通信社）

今度は賢司が清美に質問した。

「いいえ、神社には偶像も絵もないんですよ。ただ、ご神体といって、神さまが降臨するための目標物というか、そういうものはある場合もあります。伊勢神宮の内宮には鏡があるとされていますが、外宮はなぜか公開されておらず、私も知りませんが――」

「じゃあ、その部分も同じですね、ユダヤ教と。ソロモン神殿は、鏡ではなくてアークだったけど――。アークは神の力が宿る目標物のようなもので、誰も見ることはできなかったし、高位の祭司しか触ることも許されなかったんですよ」

　賢司は偶像をつくることは、人間の本性に合う行動だと考えていた。実際、ほとんど誰もが偶像をつくってきた。古代メソポタミアの宗教、エジプト、仏教、ヒンズ

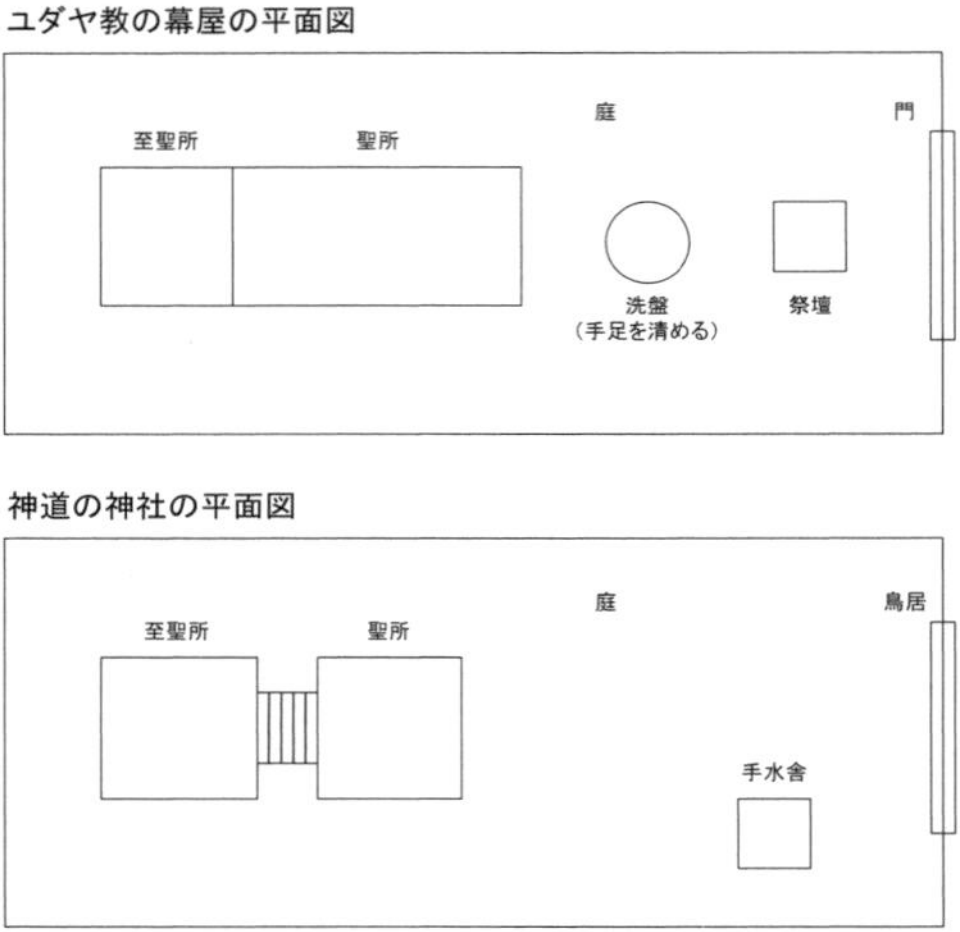

ソロモン神殿・幕屋と神社の構造の比較

ー教、ギリシャ、ローマ、キリスト教もみなつくった。イスラム教には偶像はないが、ユダヤ教に影響された、七世紀に入ってからの新しい宗教だ。

古代では、ユダヤ教と神道だけが偶像をつくらなかったことになる。これも偶然か？

「中国にも、朝鮮ハントウにも、東南アジアにも、南アジアにもコンナ社殿はナイね」

王は胡散《うさん》臭そうな表情で呟いたが、賢司もはっきりいってそう思った。

この形の神殿が存在するのは、古代イスラエルと日本だけだ――。

賢司はまだ煮えきらなかったが、逆にイラージが吹っ切れた様子でいった。

「そうだ、内宮に行こうよ。何か面白い発見がまたあるかも知れないから」

アミシャブ

度会は背もたれからむくっと起き上がった。

七年前よりニューヨーク領事館に赴任し、今日帰任する。東アジアの政治情勢や安全保障環境が急変するなか、これから自分たちの何を守るべきなのか、日本の国柄について飛行機のなかで思案に暮れていた。

窓のシールドを上げ、一万メートル上空から真空の星空を覗き込んでみる。

だが、代わりに窓に浮かび上がったのは、うつろな中年の疲れた顔だった。

年輪のような深い皺が刻まれた額を窓に押しつけると、透けた顔の奥にスーッと闇黒が拡がっていく。度会はそのさらに向こうにある大宇宙を感じとると、寥郭たる天空と無窮の時の流れの前に、人間の存在とその理性の及ぶ範囲を謙虚に自覚していた。

そういえば、この皺がまだなかったころ――、すべてを合理的に判断することが、何事においても最善の結果を導き出す最良の方法であるとナイーブに信じきっていたっけ。あらゆる価値はやがて相対化される運命にあり、真・善・美なんて、同じ土俵で語ることの無意味さを主張することが前衛的なんだと知ったかぶりしていきがっていたっけ。そして宗教なんて科学の時代には不要になるものと、無意識のうちに当然視していたっけ。

不意に、そんな自分が神道に興味を持つきっかけとなった衝撃的な出来事が脳裏に蘇ってきた。あれは――。

二〇〇三年十二月十日、午前五時二十二分。

三十路《みそじ》半ばを迎えたばかりの度会は、霞ケ関《かすみがせき》にあるオフィスの自分の席に腰を下ろした。

すでに多くの職員が、あちこちでコンピュータや手元の資料に穴の空くような鋭い視線を向けている。隣席の同僚だけがこちらに目もくれず、おはようございますと思い出したようにいった。

霞が関は不夜城だ。しかしその霞が関においても毎朝四時過ぎに起床し、五時半に始業することが当たり前のセクションは、この内閣情報調査室（内調）を除いて多くはない。度会は外務省に出向する前、その国際部門に勤務していた。

コンピュータにスイッチを入れ、起《た》ち上がる間に郵便やファックスをチェックする。新聞大手四紙の重要記事は、通勤途中にすべて目を通していた。

内閣情報調査室は、内閣の重要施策に関する情報の収集、分析、調査を行う内閣官房の組織である。国内外の膨大な情報が集約される日本唯一の諜報機関、いわば日本版CIAだ。しかし厳つい修飾語は名ばかりで、特に度会のいる国際部門は、外務省とインターネット以外の主な情報ソースはアメリカという、まるで属国のようなありさまだった。

コンピュータが起ち上がると、度会はいつものようにまずメールをチェックする。

いきなり目をひいたのは、リスト一番上のメール――地元三重県出身の国会議員秘書、池田登《いけだのぼる》が送ってきた午前三時五分のメールだ。本文はなく、件名だけのメールだった。

『突然で悪いけど、今日の午後に会いたいので時間をつくってくれないか』

度会が池田とザ・キャピトルホテル東急で会ったのは、その日の資料作成にひと区切りをつけた午後三時のことである。池田はロビーで度会を見つけると、相撲取りのような大きな体をくねくねと動かし、コートを忙しなく脱いだ。

「忠《ただ》ちゃん、悪い。俺もよくわからないんだけど、なんだか変なことに巻き込まれてね」

池田家と度会家は、親戚関係もある代々のつき合いである。度会も池田登のことは子供の頃からよく知っていた。

「実は、ちょっと右翼系の人が昨夜遅く怒鳴り込んできたんだけど、アミシャブというイスラエルの団体が旧宮家に接近しているらしいんだよ」

度会はポカンとしていた。

「え？　何でまた？」

「いいか、笑わないでくれよ。なんと、天皇家がユダヤの血を引いているかどうかを確かめるために、髪の毛を採取してＤＮＡサンプルを取ろうとしているらしい」

戦後ＧＨＱは、皇室の弱体化を狙って十一の宮家を廃止した。そのうち二家はその後断絶し、四家は嫡子を欠いているが、賀陽宮《かやのみや》家、久邇宮《くにのみや》家、朝香宮《あさかのみや》家、東久邇宮《ひがしくにのみや》家、竹《たけ》田宮《だのみや》家の五家には現在男系男子の嫡子がいる。もし神話が正しければ、彼らは神武天皇と同じＹ遺伝子を持っていることになる。ユダヤの団体は、その遺伝子とユダヤ人に特徴的な遺伝子との関連を調べようとしているとのことだった。度会は思わず吹き出してしまった。

「あ、すみません――。で、池田さんはそれを信じたんですか？」

すると池田は雄牛のような厳つい頭を二度横に振り、ぶ厚い唇を尖らせた。

「俺が信じようが信じまいが、彼らはすでに旧宮家に近づこうと動いているんだよ。それを右翼は、国体にとって由々しき問題だと思っている。だから忠ちゃんには、彼らに会って、もうこれ以上旧宮家に関わると安全は保証できないと忠告してほしいんだ」

度会が日本ユダヤ教団を訪れたのは、翌日のことである。応接間に通されると、そこで待ち構えていたのがラビのヨセフ・コーヘンとアミシャブのアブラハム・ヘルマンだった。手短に挨拶を済ますと、度会は早速、彼らが行っている日本での調査について問いかけた。

二人は度会が何を探りにきたか十分承知のようで、終始落ち着いた口調で応答した。ところが言葉の端々に、どこか一歩も譲らない不屈の意志が見え隠れする。日本を調査していることは認めたが、旧宮家の髪の毛に関してはまったく知らないと突っぱねた。日本は友好国だから気分を害するようなことはしたくない。しかし彼らの行動はすべて法律の範囲内でもある。そして何よりも、聖書に記された神の意志を助ける行為だ。二人の口調はそういいたげにきこえた。

度会も代々神社の家系である。宗教こそ異なれ、二人のその独特なオーラを微妙に感じ取っていた。

「でも——、なぜ日本を調査するのですか?」

しびれを切らしてきいたが、ヘルマン氏は常にユダヤ人がそうするように質問を質問で切り返してきた。

「現在のウイグル近辺に、昔、謎の国があったのはご存じですか?」

突然すぎて、何のことかよくわからなかったが、話はどんどん奇妙なほうに進んでいく。

「実は、中国の史記に、この地域にある技術集団が住んでいたと書かれているんですよ。『夜は光り輝き、昼は煙が立ちのぼる』――。恐らくは鉄の精錬を行っていたんでしょう。その後『資治通鑑《しじつがん》』では三日月国とか新月王国として現れ、七世紀になると弓月《クンユエ》国としても記されます」

ヘルマン氏はタブレットを取り出すと、現存する弓月《ゆづき》城の門の写真を見せた。

見るからに屈強な城門はアイボリー色の煉瓦《れんが》づくりで、そのフォルムはとても中国のものと思えないほど西洋的なアンビアンスに満ちている。唯一の東洋的要素は、アーチ状の門口の上に掲げられた墨色の木製表札だけで、そこにはくっきりと〝弓月城〟と金色のエンボス文字が浮かび上がっていた。

「その後、西突厥《にしとっけつ》によって滅ぼされたようですが、日本書紀に不思議なことが書かれているんです。第十五代応神《おうじん》天皇の時代ですから三世紀後半頃です」

話の急転に、度会は眉をつり上げた。

「えっ？　いきなり日本書紀ですか？」

応神天皇

弓月城跡

発祥の星

内宮へ向かう途中、運転席の清美が出し抜けに車を道路脇に寄せつけた。

「あっ、そうそう。ここに、よくイスラエルの方がとても驚くものがあるんですよ――」

外宮から内宮に至る参道に並ぶ灯籠

そういって清美が神妙な面持ちで指さしたのは、沿道に立ち並ぶセメント色の春日型《かすががた》燈籠《とうろう》だった。

一見、変わった様子は何も見当たらない。あえていえば、直線的なフォルムが、少々意外な感じでモダンなイメージを醸し出していることぐらいだろうか。

が、いきなり助手席のデービッドが、目の玉をむき出しながら振り返った。

「本当かよ⁉　伊勢神宮には何

伊雑宮

回か来たけど、これにはまったく気づかなかったぜ」

みんなも猫のように頭を突き出して見入った。火袋《ひぶくろ》の中台《ちゅうだい》の中心に、何かの象徴が刻み込まれている。――なんと、六芒星《ろくぼうせい》だった。

「この燈籠を製作した石屋によると、伊勢神宮奉賛会《ほうさんかい》が寄贈したもので、マークはすでに亡くなられた会長の強い要望だったということです。その理由を問い質しても、内宮の別宮である伊雑宮《いざわのみや》のもともとの神紋《しんもん》ということ以外は、固く口を閉ざされていたそうです」

「伊雑宮って何ですか？」

まだ吃驚《きっきょう》の色を露《あら》わにしたままの賢司がきいた。

「内宮の発祥の社ともいわれている別宮です。主《しゅ》祭神《さいじん》はアマテラスの御魂《みたま》。つまり、アマテラス自身は内宮に祀られ、伊雑宮にはその御魂だけが祀られているのです――」

自失した眼でその話をききながら、賢司は母の手紙のことを思い出していた。

母は、伊勢神宮両宮の神々がもともと鎮座していた日本唯一の神社が、父の籠神社《このじんじゃ》だと記していた。その発祥の神社が伊勢神宮外宮の祭神、豊受《とようけ》を祀っていた奥宮《おくみや》の真名井《まない》神社で、そのもともとの神紋が六芒星だった。

一方、アマテラスを祀るのが内宮。その発祥の神社ともいわれるのが伊雑宮で、そのもともとの神紋が六芒星。――まったく同じ構図。外宮、内宮、どちらも発祥の星は六芒星だ。

これは一体、何を意味しているのだろうか？　いや、そもそもこんなことがあっていいものだろうか？　清美の奇っ怪な話は、まだ続く。

「でも、聖徳太子《しょうとくたいし》という日本の皇子が七世紀に編纂《へんさん》した『先代旧事本紀大成経《せんだいくじほんきたいせいきょう》』という大著が昔、伊勢神宮から発見されたんです。ところがそこには、伊雑宮のほうが内宮より社格が上で、アマテラスを祀る本宮は伊雑宮と記されていたんですよ」

たまりかねたような面持ちの王が、あげつらうようにきいた。

「コレカラ行く内宮は、格下の偽物というコトですか？」

「いいえ。その書物は内宮側の猛反発を招き、その後、偽書とされてしまったんです」

「ナニか、教義にアワナイ書を偽書としたキリスト教のニカイア会議みたいデスね――」

一方、賢司は、理路を口にしながら、こんがらがった頭を解きほぐそうとしていた。

「確か――、アマテラスは最初、宮中にいたものの、何らかの理由で二十数カ所の神社を転々とし、最終的にこの伊勢神宮に鎮座した。ところがその書物によると、鎮座した先は内宮ではなく本当は伊雑宮で、その後内宮に遷座した――。もしくはそのとき、もうすでにアマテラスは伊雑宮にいて、その伊雑宮の神紋が六芒星だったということですね？」

「そういうことになるんですかね——」

清美はなんとなく自信なさそうだった。

「が、その書がいっているのは、七世紀、アマテラスはまだ伊雑宮に鎮座していた——」

「それは、その通りです」

「ではいま、内宮にアマテラスが鎮座しているとする根拠は何かあるんでしょうか？」

「あります。日本の正史『日本書紀』や、天皇家の歴史書である『古事記』です」

清美はしっかりとした声でこたえた。

「七世紀初めには、アマテラスはまだ、伊雑宮に鎮座しているわけですから、それらの歴史書はそれ以降に書かれたものですね？」

「ええ。両方とも七世紀から書き始められ、完成したのは八世紀です。それ以前にあった史書は七世紀の政変で焼失したといわれています」

また、八世紀か——。賢司は、八世紀に何かあると感じ始めていた。

「七世紀から八世紀にかけてというのは、この伊勢神宮の現在のかたちを築いた、女性天皇……そう、持統天皇が即位していたときですね？」

「その通りです。どちらの歴史書も編纂を命じたのは、彼女の夫、天武《てんむ》天皇です」

その話をききながら、脇からデービッドが由ありげに呟いた。

「なんか、政治的なものを感じるよな――。だってそうだろ？　大きな政変のあと新しい歴史書を書かせて、ほかの歴史書を偽書とした。その天皇がこの伊勢神宮という謎だらけの神社をつくった――。こんなのたまたまじゃ、あり得ないだろ」
みんなが訝しそうに頷いたとき、遠くの空が小さくゴロゴロと鳴り始めた。

弓月君

ヘルマン氏は無言で頷くと、今度はタブレットで『日本書紀』の原文を見せた。

是歳　弓月君自百濟來歸　因以奏之曰
臣領己國之人夫百廿縣而歸化　然因新羅人之拒　皆留加羅國

「『この年、弓月君《ゆづきのきみ》が百済《くだら》からやって来た。奏上して、〝わたしは、百二十七県の人民を率いてやって来ました。しかし、新羅人が邪魔をしているため、皆加羅《から》国に留まっています〟といった』――弓月の王が民を連れてやって来た。百二十七県の民というのはだいたい二万人とも、研究者によっては二十万人ともいわれていますから、いずれにしても当時としてはものすごい人数です。しかも朝廷は新羅から彼らを守るため、わざわざ日本から兵を出して連れて帰ったのです」

度会はそんな例はきいたことはなかった。第一、それだけの人数が集まれば、逆に征服される危険さえある。

しかし、ふと、これが道理にかなう一つの可能性が胸に当たる。

「ということは、日本にいた支配層は、同じ人種の人たちといいたいのでしょうか?」

二人は確信に満ちた眼でゆっくり頷いた。

「実は日本の『三代実録《さんだいじつろく》』という書に、弓月君が渡来する前、功満《こうまん》という弓月君の父が朝廷を公式訪問し帰化したことが記述されているんです。第十四代仲哀《ちゅうあい》天皇の御代《みよ》です」

度会は、自分のこめかみのあたりが突っ張ってくるのを感じながらきき返した。

「その功満からの情報を得て、弓月君の本隊がやってきたと?」

「ええ。彼らは秦氏と名乗り、養蚕《ようさん》、織物、灌漑《かんがい》、土木、建築、冶金《やきん》、農業の技術を使って莫大《ばくだい》な富をつくり、日本の政治、経済、文化、宗教だけでなく、猿楽《さるがく》、散楽《さんがく》、雅楽《ががく》、伎楽《ぎがく》などの芸能の分野にも多大な影響を及ぼすことになるんですよ。一つひとつ見ていくと、まるで、日本という国は、秦氏がつくった国に思えるぐらいなんです」

「そんなことって、本当にあるんですか?」

このまま際限なく飛躍していきそうな話に、度会はそういいながら、そんなことはあり得ないと思った。

しかしラビ・コーヘンは、秦氏が渡来した応神天皇の御代から日本の古墳が超巨大になったことや、秦氏が葛野《かどの》の大堰《おおい》などの大規模な国家事業に関わったことなど、その甚

葛野の大堰

雅楽(画像提供:共同通信社)

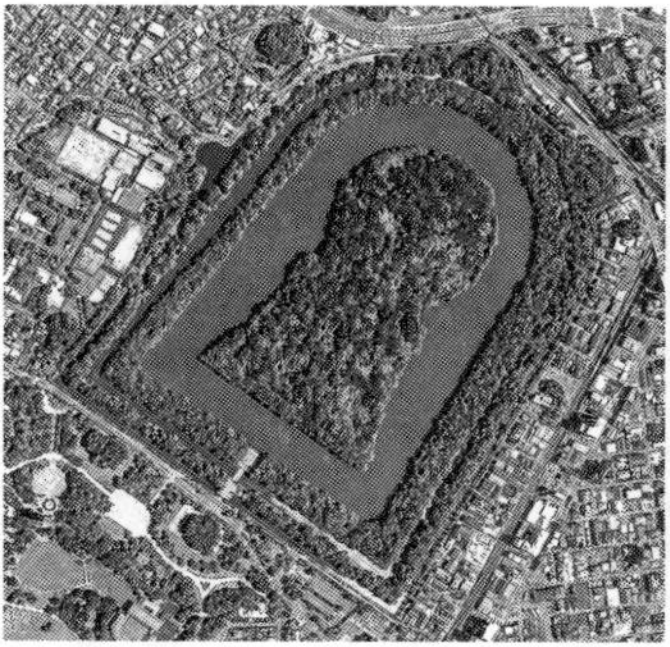

秦氏渡来以降、巨大化する陵墓　©National Land Image Information(Color Aerial Photographs)

伎楽面
西アジアとの関係をうかがわせる日本の古典芸能

大な功績を矢継ぎ早に伝える。

「このほかにも能を完成させた観阿弥《かんあみ》・世阿弥《ぜあみ》親子も秦氏ですし、宮中で演奏される雅楽で中心的な人たちは現在でも秦氏であることを誇りに感じています。彼らのルーツはペルシャとかメソポタミア方面だと公言していますよ。あ、そうそう、芸術面では国宝第一号に指定されている弥勒菩薩半跏思惟像《みろくぼさつはんかしゆいぞう》――。これです」

ラビ・コーヘンはネット上の写真を見せながら、得意満面に加えた。

「これが納められている広隆寺《こうりゅうじ》は、秦氏が平安京での彼らの本拠地太秦《うずまさ》に創建しました」

度会は意外な眼差しを向ける。確かこの像は、哲学者のヤスパースが『人間実存の最高の姿』、『人間が持つ心の永遠の平和の理想を最高度に表現している』と激賞した像――。日本の美術を代表する、超越した美しさを持つ像だ。

弥勒菩薩半跏思惟像

「でも、秦氏って仏教徒だったんですか？」
　しかしラビ・コーヘンは自信ありげに首を横に振ってみせる。
「いいえ、中国で『大秦寺《だいしんじ》』が景教《けいきょう》の寺だったように、広隆寺も最初は景教

広隆寺の十善戒

不殺生（生き物を殺さない）
不偸盗（盗まない）
不邪婬（一夫一婦制）
不妄語（嘘をつかない）
不綺語（中身の無い言葉を話さない）
不悪口（乱暴な言葉を使わない）
不両舌（他人を仲違いさせるようなことを言わない）
不慳貪（欲をいだかない）
不瞋恚（怒りをいだかない）
不邪見（誤った見解を持たない）

モーゼの十戒

殺人をしてはいけない
盗んではいけない
姦淫をしてはいけない
偽証してはいけない
神の名を徒らに取り上げてはならない
父母を敬う
ヤハウェが唯一の神である
隣人の家をむさぼってはいけない
安息日を守る
偶像を作ってはならない

十善戒とモーゼの十戒

景教で三位一体を表す手のかたち

の寺だったと私は考えています。その証拠に広隆寺の別名は、いまでも『太秦寺』というんですよ。私にはこの二つの似かよった名が偶然だとは思えません。それに、この弥勒菩薩半跏思惟像の右手の不思議な形は、景教の三位《さんみ》一体《いったい》を意味していましたし、いまでも広隆寺に伝わる『十善戒《じゅうぜんかい》』という戒めは、『モーゼの十戒』にソックリです」

ラビ・コーヘンはこのほか、平安京の土地はもともと山背国《やましろのくに》といわれ、秦氏の勢力下だったと説明した。京都御所《ごしょ》でさえ、一族のリーダー秦河勝《はたのかわかつ》の私邸だった場所というのである。しかも都造営のために三万人もの人員を無償で提供して、遷都を成功させたのが秦氏だというのだ。

「エルサレムの語源はエル・シャローム、なんと、平安京という意味です。そしてエルサレムの北東にある湖はガリラヤ湖、琵琶《びわ》という意味――平安京の北東にあるのも琵琶湖ですね。そのガリラヤ湖からは一本だけ流れ出る川があります。ヨルダン川です」

ヨルダン川は、エジプトを脱出したイスラエルの民がカナンへ行く途中に立ちはだかった川であることを、何かの映画で見たことを度会は思い出した。そのとき、神のお告げ通り、聖櫃《アーク》を担ぎながら川を渡る。すると不思議な力が川を堰《せ》き止め、すべての民が渡ることができたという聖書の重要な説話のシーンだった。

「でも琵琶湖からも流れ出る川が一つだけあるんですよ。――淀川《ヨド》です」

度会は思わず笑ってしまった。いくらなんでも、ヨルダン川ならぬヨド川は苦しい。

「ルは、日本語では発音しづらく、消えてしまうことがよくありますし、ンも同じです」

まあ、それも一理あるかな、ぐらいに思った。

が、次の言葉にアッと驚かされる。

「それに『淀』という漢字ですが、水などが滞って、流れないという意味なんですよ」

神の力によって堰き止められたヨルダン川を渡るイスラエルの民

息が一瞬止まったような思いがした。どう考えればいいのか――。

ヨルダン川の説話の意味でなければ、一体どのような理由で、川に対して『流れない』という漢字を使う意味があるのだろうか。

「その平安京《エルサレム》と兵庫県の赤穂《あこう》で、リーダーの一人秦河勝は大避《おおさけ》神社を創建《そうけん》します。その神社の言い伝えでは、大避神社は昔は大辟神社と書き、さらに遡ると大闢神社と号していたそうです。ところが大闢という漢字は、なんと『ダビデ』という意味なんですよ！」

度会は狼狽《ろうばい》しながら小さな声を絞り出した。正直、度肝を抜かれながらも、それに気づかれないよう必死に視線を固定し、かろうじて硬い表情を保った。

自国の歴史に関するこんな重要なことについて、外国人から教わっている自分を恥ずかしくも思える。しかしそれ以上に、イスラエルの調査能力に驚嘆していた。

だが、ぬぐい去れない疑問がどうしても引っかかった。

「秦氏が中国系だったという可能性はないんですか？」

「実は秦氏は、自分たちが秦の始皇帝の末裔《まつえい》だと主張しています。しかし、これは学会でも否定されていますね。秦氏がそれを主張し始めたのは八世紀以降だからです。恐らくは、当時中国からいろいろな文化が入ってきたので、そう主張したほうが都合が良かったのでしょう。秦という漢字は、『柵の外の人』という意味もあるし、大秦と書けば、史記ではローマ帝国という意味です。ですので、これだけでは判断できません――」

そしてラビ・コーヘンは小首を振ると、まるで怪談話でも語るような響きで先を話した。

「実は秦氏は、神道に絶大な影響を及ぼしたんですよ。はっきりいって、現在の神道のかたちをつくったのは、秦氏なのではないかと思えるぐらいにです――」

赤穂の大避神社(写真提供:663highland/CC-BY-2.5)

秦河勝

ユダヤ人を思わせる大避神社の宝物
(大避神社蔵)

伊勢神宮内宮

封印された依り代

内宮の参道は、一見、外宮とほとんど変わらなかった。杜があり、玉砂利があり、鳥居があり、橋があり、たまにすれ違う参拝客がいる。意識的に考えなければ、どちらを歩いているか迷うほどであった。

まだ新しい木の香りさえする二の鳥居をくぐりながら、賢司が清美に尋ねる。

「この鳥居も、さっきの鳥居も、その前の橋も真新しいものですが、つくり替えたのですか?」

「ええ、そうです。伊勢神宮は式年遷宮といって、二十年に一度、主な建造物のほとんどをつくり替えるんですよ――」

以前、伊勢神宮の広報に勤めていた清美は、暗唱した文句をスラスラと弁じる。

「内宮も外宮も、長方形の同じサイズの土地が隣接していて、物差しで測りながらすべて寸分違わぬ場所に、寸分違わぬ尺度でリメークされるんですよ——二十年おきに右に行ったり、左に行ったり。新しい社殿の構造ができたあと、ご神体が移される一、二カ月の間は、こうして両方の社殿が建っているというわけです」

清美は、深い杜の中にぽっかり空いた敷地の空撮写真を呈した。

正方形の平地が真ん中で縦にまっすぐに仕切られている。左側の土地には建物の屋根が五つほど見えたが、右側は更地になっていた。

「ナルホド——、こういう状態なわけデスね。コノ一番大きな屋根が、正殿の屋根で——、僕たちはいま、コノあたり——」

「ちょっと待った、何これ⁉」

賢司の叫声が暢気《のんき》な王の声を遮った。

みんな一斉にその指先を凝視する。

——更地の真ん中あたりに何か小さなものが写っていた。

「屋根だね。ほかと比べると大分小さいけど」

内宮の航空写真(画像提供:imagenavi)

イラージの質問のような響きのコメントに反応したのは、清美だ。

「あ、それは、覆屋《おおいや》といって、小さな小屋です。社殿ではありません」

賢司が当惑した眼で清美を睨みつけた。

「小屋？　小屋って、一体、何が入っているんですか？」

「これは――、ちょっと説明するのがややこしいんですが――、遷宮前に使われていた、依《よ》り代《しろ》というか――、そんなようなものが社殿解体後もそのまま残してあって――」

「えっ？　依り代って、社殿のなかにあるご神体の鏡のことではないのですか？」

賢司は底光りする目を返した。

「えっ、ええ。そうなんですが――。実はもう一つ、心御柱《しんのみはしら》という――」

「心御柱？　内宮には、アマテラス以外に祭神がいるんですか？」

矢継ぎ早にズバリきき続ける賢司に押しまくられるが、清美はいまひとつじれったい。

「いえ――、そういう訳ではないと思いますが――」

「『思いますが』……ですか？　あの小屋には、正確には、一体何が入っているんでしょうか？　心御柱と

覆屋

は物理的には、何なんでしょうか？」賢司は一気に詰め寄る。

「それが——、誰も見たことがないので、よくはわかりませんが——、伊勢神宮内では、話すことも憚られていまして——」

　曖昧に言葉を濁す清美は、やはり持って回ったようないい方だった。

「柱というぐらいですから、ほかの木材と一緒に伐ってくるのではないですか？」

「いやっ、それが——、いつ、どこで、誰が行うか一切公表されてない木本祭《このもとさい》という祭祀がありまして——、その祭りで、杜のどこかから木が伐採されると洩れきいたことがあります。その後、深夜、秘密裡《ひみつり》に地中に埋められるらしいのですが、全部埋められるのではなく、縦に地面に刺すように、柱のように立てられるときいたことはありますが——」

　何がそんなに秘密なのか、さっぱりわからなかった。単なる柱ではないか。

「でも、心御柱が不思議なのは、社殿が完成したあとに地中に埋められるんですよ。しかも、社殿にはまったく触れ

現在でも行われている地元の物忌童女による地鎮祭

ないらしいんです——」

　賢司は戸惑いに目を円くしていたが、イラージがいともたやすく解を割り出した。

「柱なのに、構造的にまったく機能していない。やはり、依り代だね」

「——そうかもしれませんね。私にもわかりませんが。ただ——、変なのは、心御柱はすべてが床下にあって、社殿のなかに入っている部分は少しもないんですよ。出雲大社《いずもたいしゃ》という有名な神社の心御柱は、ちゃんと本殿内に突き抜けているのですが——」

　えっ？、と息を吐くと、賢司は遂にあやふやな表情で考え込んでしまった。

　ご神体と独立した依り代がもう一つ床下に存在する？　清美は説明を続ける。

「現在、内宮では、三節祭《さんせつさい》といって毎年三回、由貴大御饌《ゆきのおおみけ》という神饌《しんせん》をご神体の八咫鏡《やたのかがみ》に対して社殿の前に奉納します。ところが古い記録によりますと、昔は、といってもほんの明治の前まで続いていましたが、地元豪族の童女代表である大物忌《おおものいみ》と介添《かいぞ》え役が正殿の床下に入り、心御柱に対して捧げていたんです」

　とうとうデービッドは、両手を上げて降参した。

「あぁ、俺はもうお手上げだぜ……さっぱりわからない」

　しかし、ここでもイラージが平然と定理を導き出すようにいってのけた。

「いままでのことを総合的に考えると、やはり、内宮の神はふたりだ」

ヤハダ

ラビ・コーヘンの口調の薄気味悪さに、度会も思わず身構えた。

「現在、日本の神社本庁管轄の神社は約八万社、管轄でない神社を含めると約十二万社ありますが、そのなかで一番数が多いのが稲荷《いなり》神社。全国に約三万社あります。総本宮は京都の伏見《ふしみ》稲荷《いなり》大社で、創建《そうけん》したのは秦伊呂巨《はたのいろこ》。名前の通り、秦氏です」

三万社の総本宮――。確かにすごい影響力だ。度会は唇に皺を寄せながら頷いた。

「次に多いのは八幡神社《はちまんじんじゃ》ですが、管轄でないものを含めると最も多く、約四万社あります。総本社は宇佐神宮《うさじんぐう》で、現在の大分県、秦氏の本拠地にあります。主祭神は秦氏を日本に受け入れた応神天皇で、祭祀を司っていた辛嶋氏《からしまうじ》は秦氏の支族。もちろん、秦氏系です」

三万社と四万社で七万社――神社の半数以上だ。いくら何でも、すごすぎないだろうか。

度会の胸に何かが引っかかり始める。

「京都の秦氏の本拠地にある八坂《やさか》神社は、全国に二千九百社あります。因みに『ヤサカ』は日本語では特に意味はありませんが、『イヤサカ』はヘブライ語で「ヤァウェ偉大なり」と、神をたたえる言葉です。それから、二千七百社ある白山《はくさん》神社。白山信仰の聖地である白山を開いた僧の本名は泰澄《たいちょう》で、秦氏です」

　ここまできいて度会は茫然《ぼうぜん》とする。眉間の影もすでに濃くなっていた。

「さらには約二千社ある日吉《ひよし》神社、日枝《ひえ》神社もしくは山王《さんのう》神社。これらが祀るオオヤマクイは別名松尾大明神《まつのおだいみょうじん》といい、全国で二百社ほどある松尾《まつのお》神社系の神社で祀られています。その総本社松尾大社を創建したのは秦都理《はたのとり》、もちろん秦氏です。それから四国を中心に千九百社ある金比《こんぴ》羅《ら》神社、これも以前は秦宮《はたのみや》と呼ばれていて秦氏系です」

「いまざっと数えてみたんですが、約八万社。日本の神社のほとんどが秦氏系ですか?」

　ラビ・コーヘンはゆっくり頷いた。

「それだけではありません。日本の神社

宇佐八幡神宮

伏見稲荷大社の神門(上)と千本鳥居(下)

八坂神社

や神職の家系で、最も多い家紋がこの家紋なのです」

そういいながら、タブレット上でその家紋を示す。

度会は始めなんのことかわからなかった。

「これって、柏の葉の家紋ですよね？」

「よく見てください。これは三つのメノラーを隠した家紋ですよ」

度会はハッとすると、思わずその家紋を見続けてしまった。

メノラーは、典礼具の一つである七枝の燭台のことである。神の命令によって幕屋に置かれ、エルサレム第二神殿の聖所でも引き継がれた、ユダヤ人にとっては神との出会いを意味する神殿を表現する重要な象徴であった。

メノラー

三つ柏の家紋

これも偶然の一致か？

コーヘン氏は太い声で話を続けた。

「そのほか独立系の神社では、天皇家に直結した神社もあります。例えば天皇家をお守りしてきた上賀茂《かみがも》神社《じんじゃ》と、下鴨神社《しもがもじんじゃ》。日本で最古のお祭り、葵祭《あおいまつり》を行うことでも有名ですが、大嘗祭《だいじょうさい》は下鴨神社の神職が取り仕切ってきました」

松尾大社

上賀茂神社

下鴨神社の葵祭

度会の眉根がピクリと反応した。

「えっ？　秦氏が大嘗祭にも関わっているのですか？」

「はい。奈良時代に編纂された『秦氏本系帳《はたうじほんけいちょう》』には、これら二社の祭神と松尾大明神《まつのおだいみょうじん》にかかわる神話が記述されており、二社は松尾大社とまとめて秦氏三所明神《はたしさんしょみょうじん》と称されているのです」

秦氏と大嘗祭。ということは——。

ラビ・コーヘンは度会の眼の奥を見つめながらゆっくりと頷いた。

「伊勢神宮の外宮は、約百年前まである氏族が代々祠官《しかん》を世襲してきました。その氏族の始祖は大幡主《おおはたぬし》。『大』も『主』も尊称ですので、要は『幡《はた》』。つまり、秦氏なんです」

度会は生唾をゴクンと呑み込んだ。表情が思い切り歪んでいく。旗、畑、畠、波田、羽田、波多、羽多、服部、半田……などの姓は、すべて秦氏の末裔だときいたことがあった。

「その氏族の拠点はアマテラスが元《もと》伊勢《いせ》から内宮に遷られる前、伊勢神宮内で最初に遷座したといわれる瀧原宮《たきはらのみや》があるところなのです。つまり伊勢神宮は、内宮も外宮も秦氏が関係しているんですよ」

　すでに度会の全身は硬直していた。古い歴史がもたらす何かしらの力が強烈に胸を突き上げてくる。

「もうおわかりですね、度会さん。その氏族とは、三重県度会郡を拠点とし、明治時代まで外宮の祠《し》官《かん》を世襲してきた度会氏のことです——度会さんは三重県のご出身ですね？」

瀧原宮

　度会は、下唇の内側を気づかれないように噛んだ。顔の上半分が硬直しているのが自分でもわかる。込み上げる得体の知れない感情を必死で堪え、机の上の一点を見つめていた。

「い、いえ、私は東京出身です」

　咄嗟に出た必死の虚言だった。感じたのは、このままでは彼らと彼らの歴史の謎に取り込まれてしまう恐怖感だった。しかし度会は考えていた。ここまで調べたのだから、度会が非常に珍しい姓であることを、彼らも知っているだろうということを。

気疎い時間が流れた。度会は、二人が当座凌《とうざしの》ぎの嘘に気づいたことを悟った。しかし、なぜかラビ・コーヘンは、何事もなかったように話題を変えてきた。

「秦氏の本拠地にある宇佐神宮は宇佐八幡《うさはちまん》と呼ばれ、八幡宮《はちまんぐう》の総本社ですが、八幡は、『ヤハタ』とも読みます。でも、昔は『ヤハダ』と読んだそうです。何か思い出しませんか?」

「ヤ・ハ・ダですか?」

ヤハダ……ヤハダ……ヤハダ……ヤハダ……

「あっ、まさか——。『ヤフダ(Yehudi)』ですか?」

そういって度会は目をむき出しにする。『ヤフダ(Yehudi)』とは、ユダヤ人が自分たちの王家、ユダ族のことを呼んでいた名称だと何かの本で読んだことがあった。

ラビ・コーヘンは、目の奥に確信をあからさまに見せながら頷いた。

「王家、ユダ族が日本にやって来たということですよ——」

度会はその言葉を噛みしめながら、彼らのペースに取り込まれないようにするのにしばらく必死だった。それでもどうにかこうにか我を取り戻すと、理由はともあれ、旧宮家に近づけば右翼団体が何をするか予想ができず、安全を保証できないとだけ警告してその場をあとにした。

帰路、度会は一人、思いに耽《ふけ》っていた。さっきの話は本当なのだろうか——。

いや、どこまでが本当で、どこからが間違いなのだろうか。

まったく見当もつかなかった。否定するにも、感情的な意見が思いつくだけで、論拠となるまともな材料を持っていなかった。

これまで家の過去について調べるどころか、興味もなかった。

しかし、いま――。

度会は日本の歴史どころか、自分自身が本当は誰なのかさえまったくわからなくなってしまったのである。

この衝撃が、度会が神道に興味を持ち始めるきっかけとなっていったのであった。

正中

不意を打たれたような、みんなのまごついた視線が一斉にイラージに集中した。

しかし当のイラージは、泰然自若な表情を崩さない。

「最初、いまのアマテラスとは異なるアマテラスがいた。それが心御柱のほう。恐らくは、伊雑宮かその他の別宮で祀られていた。しかしある政治的な理由で、新しい神がやって来た。それが鏡のほう。しかし新しい神は、それまでの神とは異質の神というか、異なる地域の神というか、違う宗教の神かも知れない――。とにかくこの新しい神をこの国に導入しようとした為政者は、人々にすんなり受け入れてもらうために、すでにアマテラスという人々の信仰を集めていた神の名と人気を乗っ取ったんだよ」

「乗っ取った?」

王は失笑でこたえたが、賢司のなかでは何かがストンと落ちた。

続けるイラージの聡明《そうめい》な瞳は、なおも自信満々だ。

「その後、時がたつにつれ、次第に最初のアマテラスは忘れ去られ、新しい神がアマテラスとなった。だから心御柱を隠しているんだよ。昔の神の存在を秘密にするために」

その冷徹な立論に、デービッドも納得がいったように頷いた。

「そうか、やっとわかったぜ――。だから最初は心御柱の古い神のほうが食事をとっていたけど、時間が経ち乗っ取りが成就すると、新しい鏡の神が食事をとるほうになったってことだな」

そんなこと夢にも考えなかったが、賢司にもあり得ない話ではないと思えてきた。

「なかなか大胆な推理だね。イラージらしいよ」

「でも、もう一つ気になったことがある」

そういいながらイラージが空撮写真を指さすと、みな頭を寄せ合って覗き込んだ。

「この覆屋《おおいや》の位置――左の、内宮正殿の位置と比べると、中心の位置から微妙にずれているように見える」

清美の畏れているような言葉が割り込んだ。

「あっ――、そうなんです。はっきりしたことはわかりませんが、十世紀に書かれた

『新儀式』などに、心御柱が正中から外してあることが記されているという噂をきいたような気がします」

「何でですか？」

賢司は語気を強めて問い質したが、清美の反応は予想通り、わからないだった。

次第に解答を催促するかのような視線が、なんとなくイラージに集まっていく。

そのイラージは、じいっと唇を固く結びながら考えたあと、こたえた。

「これは何かの暗号かメッセージだよ。心御柱の重要性を考えても、これを無意味に行うということはとても考えられない」

「モウ乗っ取ったんだから、用済みというコトジャナイか？」

茶化したような王のひと言を、賢司が打ち消した。

「いや、そうだったら、もうそこにある必要はないんじゃない？　――伊雑宮に戻すとか」

いいながら、賢司もそう思った。

最初は、確かに鏡の神はアマテラスではなかったかも知れない。でもいまは鏡に降臨する神も、心御柱に降臨する神も、両方アマテラスだ。――少なくとも、名だけは。

でも、だとすると、発祥の社、伊雑宮に心御柱を戻すべきなのでは？

しかし戻さなかった――。そればかりか、鏡の神が同じアマテラスになっても、宗教的により意味がある正中をわざわざ外した位置に心御柱を打ち続けた。

これはイラージのいう通り、何かのメッセージが隠されているかも知れない――。

「じゃあ、そのメッセージって一体何なんだよ？」

そうデービッドは賢司を睨みつけたが、その横からイラージがサラリといってのけた。

「アマテラスの本当の心御柱が、ほかの場所に存在する――その本物のために、正中の位置を空けてある、というメッセージだよ」

正鵠《せいこく》を射たようなその帰結に、逆に困惑したような空気が漂った。

だが本当にそうかも知れないという空気に変わり始めたとき、賢司はヘルマン氏のメモをポケットから取り出した。

〝イウスの丘の触らぬ柱〟――。円が中心からずれた奇妙な旗のようなマーク。内宮の心御柱も社殿に触れず、正中からずれている――。賢司は確信し、

「イウスは伊勢。このマークは、正中を外した伊勢神宮の心御柱という意味だね」

と力強くいうと、今度は清美に向かってきいた。

「日本のどこかで鹿の頭を捧げるお祭りってありますか？」

「ええ、すごく有名な神社があります。長野県の諏訪大社です」

四人とも、ぴくりと固まった。無言のまま、お互いの目を確かめあう。

諏訪大社――。賢司の母がヘルマン氏に会った神社。――間違いない。

四人の眼が揃って確信の眼に変わったとき、夏の大粒の雨がぱらぱらと落ち始めた。

許容範囲

周領事は冷めた熊猫茶《パンダ》をゴクリと飲み干した。昨日はほのかな甘さを感じたが、今日は嫌な渋みを感じる。同じメイドが同じ時間に入れた同じお茶を飲むのに、こうも違うことか。

「困ったな――」

そう洩らした郭大使の口調には苛立ちが滲んでいた。

周領事にも、その理由はもちろん想像がついていた。

どんな緻密な作戦にも失敗はあり得る。昨晩、彼らが求めていたものを確保できなかったのは、まだ郭大使の許容範囲だろう。しかし去り際に歩行者に目撃されたという報告は、中国の関与の発覚に繋がりかねない可能性を示唆している。それは外交上の大きな問題に発展しかねない由々しき懸案事項であった。

「本当に、申し訳ございません」

周領事は、一人でオペレートしたいというエージェントの強い要求に押し切られ、見張りをつけなかったミスを悔いた。

郭大使は考え事をするときいつもするように、窓の外の木々をしばらく眺めていたが、おもむろに何か思い立ったような目を周領事に据えると、重々しくいった。

「急がねばならないな」

「はい、わかっております」

「でも、ラビ・コーヘンがその絵を持っていなかったとすると、そもそも神の絵が存在しないということか？」

郭大使の緊張した眼差しが、さらに鋭くなった。

「いいえ、そんなことは絶対にないはずです」

反射的に首を振りながら強く否定する周領事。郭大使もすぐ反応した。

「では、我々の前に誰かが忍び込んですでに押収したとでも？」

その可能性を同じように認識していた周領事の反応は、若干遅れた。

「確かにこの件では、各国の諜報機関が動き回っていますのでその可能性も十分あります。しかし……実は、籠神社《このじんじゃ》の海部宮司が、ラビ・コーヘンに最後に会った日、一カ所、小包を送っているんです。で、それを確保するために一つお願いがあるのですが――」

ふぅむ、という思いがけない躊躇いの音が薄い唇からこぼれた。

周領事はそれに気を奪われながらも、声に力を込めた。

「赤猫というコードネームの諜報員を、私の指揮下に置いてほしいのですが――」

郭大使は眉間を指でつまみながらしばらく瞑目する。

直ぐと唸るようにいった。

「――一晩だけ考えさせてくれ」

否定の否定

翌朝、四人は運転手が示すままタクシーから降りた。

国道沿いの民家の合間に石鳥居が一つ、ひっそりと立っている。その下から同じ色の石畳の参道が、鬱蒼《うっそう》と生い茂る杜の闇に消え入っていた。参拝者を誘うものはほかに見当たらない。社はその闇の奥、裏山の傾斜が麓で緩やかになったところに造営されているようだった。

諏訪《すわ》大社《たいしゃ》は、諏訪湖を挟み上社《かみしゃ》と下社《しもしゃ》の二社からなる。それぞれに二宮あり、計四宮。賢司たちはとりあえず、最も古く、賢司の母イエナンが訪れたという上社の前宮《まえみや》から当たってみることにしたのだった。

あれがモリヤ山か——。賢司は裏山を仰

守屋山

ぎ見ながら独りごちた。

しかし守屋山は、どこにでもある山並みの平々凡々とした殺風景な山にしか見えなかった。期待が大きかったせいか、その分、意外な味気なさにどこか物足りなさを覚えた。

だが、鳥居をくぐったとたん、様子は一変する。石畳の参道が二十メートルほど先でプツリと断ち切れ、斜面が行く手を阻んでいるのである。

「この神社、マルデ参拝者を拒否シテイルみたいだね」

王の悪態も、どこか的を射ているかも知れないと薄気味悪さを感じながら、隅に追いやられたような幅一メートルほどの古い石段を登りきった。

手水舎《ちょうずや》で禊ぎを終え、二の鳥居の左手にある案内図を見ていたときだった。

「こんにちは――」

突然、背後から男の声がした。振り返ると、白い装束に正装した老齢の神職が一人、奥ゆかしい笑顔で立っている。慌てた四人は、かしこまって日本風にお辞儀をした。

「あっ、こ、こんにちは」

神職は間を入れず賢司に向かっていった。

「ケンシ・リチャーディーさんとお友だちの皆さんですね」

「はい」

と返事はするも、唐突に出てきた自分の名前に賢司は身構える。

「私は諏訪大社第七十八代の宮司で兼平と申します。このたびはお父さまのような素晴らしいお方がお亡くなりになり、私としても非常に残念です。こんな日も来るのではないかとお待ちしておりました」

賢司にはその真意がわからなかったが、それ以上に、なぜそれが今日、この時間、この前宮、とわかったのかのほうがより不思議だった。

しかしろくに考える間も与えず、兼平は少し強引なぐらいに思いがけないことを切り出してきた。

「これからお父さまとお約束した、我々の最も重要な祭祀をお見せしたいと思います――」

賢司は驚いた。

「父が私に?」

兼平は首を縦に一度振った。

「賢司さんが将来お父さまを伴わずに来られるようなことがあったら、ぜひ見せてほしいと」

父が自分のことを考えていてくれたことが、賢司には嬉《うれ》しくもあり悲しくもあった。

やはり父は身に迫る危険を察していたのだろうか。しかし一体、何を伝えようとしたのだろう?

「では、こちらへどうぞ。途中、質問などがございましたら遠慮なく尋ねてください」

兼平は古い鳥居のほうへみんなを招いた。

イラージがいきなり叫んだ。

「ちょっと待ってください」

みんながその視線の先を追うと、鳥居の両柱の前で一対の獣が構えている。鳥居をくぐる参拝者を、凄まじい面差しで睨みつけていた。

「あ、これは狛犬《こまいぬ》といいまして、犬といいましても、実際は神域を守る獅子《しし》ですね」

「神道には偶像は存在しないのでは？」

イラージに合わせてみんなも首を傾げた。

「神道ではこの狛犬を拝みません。ですから偶像ではないんですよ」

しかし、とはいっても、昔の日本に獅子はいなかったはずである。イラージがそれを指摘すると、兼平はにこやかにいった。

「正確にはわかりませんが、神道学者は、一般的には中東のほうから伝わってきたといっています」

中東の獅子――。賢司はソロモン神殿を思い出した。

「ソロモン神殿にも、実は一対の獅子のレリーフがあったんですよ」

中近東の他の古代神殿にも一対の獅子はよく見られた。しかしそれらは、このソロモン神殿

諏訪大社前宮の狛犬（一角獣）

を模倣したものという説が一般的だった。

　ところが、宮司は一頭を指さしていった。

「いや、よく見てください。実は、こちらの獣だけ一角獣なんです。ユニコーンがモデルともいわれていますが、定かではありません」

　思わぬ説明に、賢司はデービッドを見たが、やはり一人で固まっていた。

「どうしたんだよ、デービッド」

　王が不思議そうに尋ねると、賢司が代わりにこたえた。

ロスチャイルド家の家紋

「ウィリアム、知らないのかい？　デービッドの家の、ロスチャイルド家の家紋。向かい合うライオンとユニコーンのセットが描かれているんだよ」

　獅子は南ユダ王国の王族、ユダ族の紋章であり、一角獣は北イスラエル王国の王族、エフライム族の紋章である。しかも獅子と一角獣のセットは、ほかのアジア諸国には例がない。イスラエルと日本のみなのだ。賢司は顔には出さなかったが、デービッドと同じぐらい不気味さを感じていた。

デービッドがやっと低く呟いた。

「何回も神社には来たけど、全然気づかなかったよ」

が、兼平は顔の前で手を振りながら説明する。

「いや、これは古い神社だけです。狛犬という言葉が流行り、後年の神社では本当の犬のように角がとられてしまっていますから――」

そういって兼平が次に四人を導いたのは、二の鳥居の奥にある古寂びた白木造りの建造物だった。十間廊《じっけんろう》と呼ばれるその社殿は飾り気がまったくなく、まるで能舞台のようにがらんどうの堂舎だった。

しかし驚いたことに、この建造物はれっきとした社殿で、その大きさ、形、方角、使用目的が聖書に出てくる幕屋《まくや》という移動式神殿と同じなのだそうだ。どちらも縦十八メートル、横五・四メートル。東に入口、西の奥に本殿がある。

十間廊

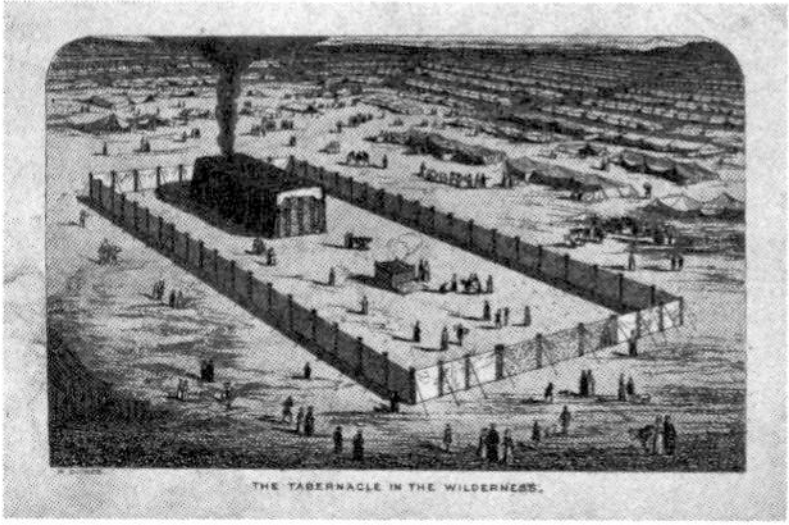

幕屋　©Wellcome Collection

十間廊の本殿には神輿、幕屋の本殿にもアークが置かれて祈りを捧げるという使い方までもまったく同じなのである。

驚愕の類似点はこれだけではない。十間廊は十間《けん》の長さという意味だが、この〝間〟という日本古来の単位は百七十六センチ。一方、古代イスラエルで使用されていた一キュビトは四十四センチ。つまり、一間は丁度四キュビトということなのである。

果たしてこれは純粋な偶然の産物なのか、それとも何千年もの歳月を越えた繋がりの証なのか。いや、これを見ながら、ユダヤの民が遥かな海を越えて古の日本の地を踏みしめたということを、一体誰が否定できるのだろう？

兼平の言葉が古代からのエコーのように耳に響くなかで、賢司は自問自答の渦に飲まれていた。

ふと我に返り、みんなを見た。やはり同じように瞠目《どうもく》している。

「ではいまから、一般には非公開の諏訪大社の本来の秘祭《ひさい》をお見せしましょう」

兼平はそう告げると、いつの間にか集まっていた数人の正装した神職たちに、祭の準備を始めるようしめやかに目配せした。

「これからお見せするのは、毎年行われる御頭祭《おんとうさい》という前宮の最も重要なお祭りで、ミサクチ神を祀る〝ミサクチの祭り〟ともいわれるお祭りです。我々でさえ起源も知らないほどの古い神事《しんじ》です」

諏訪大社発祥の宮、前宮の歴史は古い。兼平がいうように、今日にいたって御頭祭の起源を知るものは誰もいなかった。

諏訪大社が創祀される以前からのとこしえのお祭り、ということでさえ想像に難くない。

「しかし祭りの内容は、明治維新直後、時の政府によって突然大幅な変更を強いられました。しかし、長い伝統を絶やさぬよう、こうして私たち内部のものだけで、真の御頭祭を連綿と続けているのです」

兼平は静かな口調に決意のようなものを滲ませていうと、階段をのぼり、たくし上げられた白い神前幕《しんぜんまく》の隙目から十間廊のなかへと入っていった。――恐る恐る、賢司も覗いてみる。

なかはがらんとした殺風景な部屋だった。ござが一面に敷かれただけでまったく飾り気がない。西側の祭壇《さいだん》だけが例外で、お供え物や木枝などで飾られている。前面には真新しい白木《しらき》の三方《さんぼう》が用意されていて、何かがそこにも供えられるのを待っているようだった。

兼平にうながされ、賢司たちもなかに上がり、入口脇に静かに腰を下ろす。

背後で幕が下ろされた。と、四人はいきなり逃げ場のない神妙な空気に包まれる。幻想的な静寂のなか、守屋山から吹き下ろす夏風にパタパタと靡《なび》く神前幕が、時折、神聖

諏訪大社　前宮

な緊張感を振りまいていた。

するとどこからともなく閑雅《かんが》な雅楽の調子がきこえてきた。

奇妙な音色は、神社できくとより妖しさをまして迫ってくる。賢司は何かの機会に雅楽を耳にしたこともあったが、とても好きなタイプの音楽ではない。神秘的な調べが魂を揺さぶり続けるなか、しばしの間、世界には動きがまったくないように思われた。

しかし幻怪な空気が神妙な空気となり、やがて厳かな空気へと変わり始めた頃、位により黒、赤、山吹色、紺、白の装束に正装した神職がさまざまな用具とともに社殿に入ってきて、音もなく本殿側に着座した。

鳳笙《ほうしょう》の音色が小気味悪い余韻を残しながらスーッと消えていく。

緊張感が否応なしに高まってきた。賢司たちは、みんな厳しい顔で黙りこくっていた。

ほどなく、神職が縄で縛った小笹《こざさ》の薪束《まきたば》をほどき薪をばらばらにすると、ござの上に盛り上げるように敷き詰め出した。静粛な社殿《しゃでん》に乾いた小枝がこすれ合う音が響きわたる。

すると、直と、二人の神職が先の尖った百五十センチほどの白木の柱を押し立てた。

一体、何が行われるんだろう？　と思った瞬間、どこからともなく紅の着物を纏った八歳ぐらいの少年が突然現れた。――何っ？

不釣り合いな神社

周領事は先日も通ったこの無機質な廊下を、郭大使の待つ部屋へと歩いていた。重い足取りを一歩一歩進めながら、作戦失敗を改めて悔いていた。

しかし、気が沈んでいる本当の理由は別にあった。

ほかでもない。郭大使がこの計画を中止するかも知れないという懸念だ。

郭大使はあと数カ月で帰任する。これまでの経歴から見て、外交部長（外務大臣）にのし上がることは時間の問題だろう。それは誰よりもまず、本人が最も意識しているはずだった。

そんな郭大使が、一度失敗した作戦を同じ責任者を信じてもう一度続行するだろうか？

周領事にとっても、それは賭けであった。兆候もあった。急がねばならないのに、一晩考えさせてくれとの郭大使の反応は心の動きを示しているのかも知れない。

しかし周領事が最も恐れているのは、すべての責任を押しつけられ左遷されることだった。そんな奴はこれまで沢山見てきた。相手は国家より自分第一との噂のある郭大使だ。何をされるかわからない。本当にそんなことになったら、俺の人生は終わりだ――。

「ようこそ周領事」

郭大使は先日と同じ言葉で周領事を迎えたが、ぎらついた目は今日はない。感情を抑えたような口調だった。周領事は屈託のない笑顔でこたえると、差し出されたお茶がまだ熊猫茶《パンダ》であることに若干の希望を覚えた。

判決を待つ被告人のような心境で、郭大使の次の言葉を待つ。

「実はね、ゆっくり考えてみたんだが、もう少し話の信憑性《しんぴょうせい》を確かめたいと思ってね」

郭大使は余談に時間を割かず、いきなり本題を切り出してきた。

周領事は思わず身構えた。郭大使の目をしっかり見据えながら自信たっぷりという表情を意識的につくる。

郭大使は軽く頷くと、熊猫茶をズルッとすすった。

「あとの二つはどうなった？」

突然、その目が射るような目となり、周領事を捉えた。

しかし、周領事は内心安心した。その話なら自信を持っている。

「まずは、剣ですが、」

周領事の言葉を郭大使が遮った。

「その通説もデタラメというのか？」

「はい、間違いなく」

郭大使の意気込みに内心たじろぎながらも、しっかりした口調で返事を返す。

「根拠は？」

依然、鋭い語気だ。

熱田神宮

「納められているといわれる熱田《あつた》神宮ですが、神宮になったのは明治になってからです」

一瞬、郭大使の目が泳いだ。

神宮とは天皇家に関係する神社のことである。ということは熱田神宮は明治時代まで、天皇家とは関係なかったということを意味しかねないからだ。

「三種の神器の剣が鎮座する神社が天皇家と関係ない？」

「ええ。しかも熱田神宮は尾張《おわり》の国の一宮《いちのみや》でも二宮《にのみや》でもありません。三宮《さんのみや》です。決して社格としてもふさわしくありません。三種の神器にはどう考えても不釣り合いです」

戸惑ったような沈黙のあと、郭大使の唸り声が部屋に響いた。周領事がいい添える。

「そもそもあの剣は伊勢神宮に納められていたものです。たまたま一時的に熱田神宮に置かれただけで、そこにずっとある理由などまったくありません」

「伊勢神宮はこのことに関して何かいっているのか？」

郭大使の目は細く見えた。

「そこが一番おかしなところです。返却要求を出すどころか、まったく無視なんです」

郭大使の額には苦悩で歪んでいるような皺が寄り、目は遠くの空気を睨み始めた。その横顔に周領事は、「あの剣は、決して縁起のいい剣ではありません」と、キッパリといいきった。

郭大使は、何をいい出すんだろう、という不審の眼を無言で返してきた。

「あの剣は、敗者の剣なのです」

「――敗者の剣が三種の神器？」

「はい。アマテラスの弟スサノオは、狼藉《ろうぜき》を働き高天原《たかまがはら》を追い出されたあと出雲に行くのですが、そこでヤマタノオロチという怪物を成敗するのです。で、三種の神器の剣は、その殺されたヤマタノオロチの尻尾《しっぽ》から出てきた剣なのです」

「熱田神宮に祀られているのは、その敗者の剣だと？」

「ええ。日本神話にそう書いてあります。しかもそのとき、スサノオが持っていた勝者の剣は、布都斯魂《ふつしみたま》という神として石上《いそのかみ》神宮という別の神社に祀られているんです」

郭大使の気難しそうな眼を見やりながら、周領事自身も、実はこの話は奇妙な話だと思っていた。――敗者の剣のほうが、勝者の剣より格上に祀られている。

しかも、三種の神器として――。

「その後、この剣は日本のヒーロー、ヤマトタケルの命を一度救いますが、ヤマトタケルはその遠征で命を落とすんですよ――不吉な剣なのです」

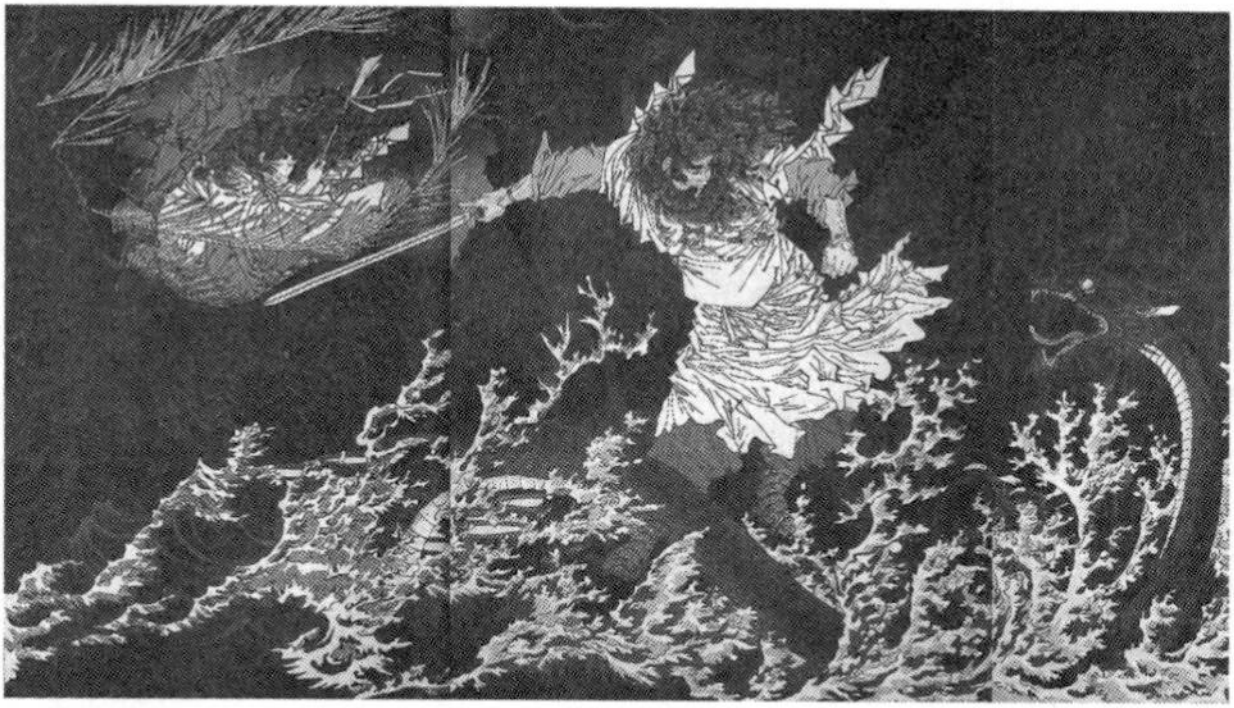

ヤマタノオロチを退治するスサノオ

ヤマトタケル

郭大使はじっと何かを考え込んだあと、「真実を隠すためのカモフラージュか」と、ふいに硬い声を洩らした。

すると周領事は、郭大使の目を睨みながらゆっくりと首を縦に振った。

時空を超えた祭り

数名の神職が柱を寝かせて少年をその上に仰向けに寝かせると、柱ごと持ち上げ、敷き詰めた薪の上にそっと置いた。ポキポキと薪が折れる音が、面妖な空気を静かに引きちぎっていく――。

その超越的な音に耳を澄ませながら、賢司には思いも寄らなかった考えが閃《ひらめ》いていた。もしかしたら、これから行われようとしているのは――。

慌ててデービッドを見た。デービッドも同じ困惑の横目で賢司を睨んでいる。

すると錦の袋を持った神職が先ほどの神職に近寄り、右手を袋の中に入れ、中から何かを取り出した。よく見ると、それはなんと小刀だった。

その場の空気が急速に張り詰めていく――。

神職はゆっくりと鞘から抜き、小刀だけを山吹色の装束を着た神職に手渡した。

そのとき、賢司は悟った。やっぱり――。

動転しながらデービッドを見る。デービッドの目もすでに驚嘆の目に変わっていた。

神職は思い詰めたように短刀を見下している。しばらくすると少年のもとに行き、そこで立ち止まった。

　すると二人の神職が桑の木の皮で少年を縛り始める。一人は両腕を頭の上で、もう一人は両足を。縄は手足に食い込むほど強く結ばれ、少年は完全に自由を奪われた。

　お祈りを捧げるような沈黙があった。賢司たちはハッと息を呑む。鋭利な切っ先を真下の少年に向け、神職が小刀を振りかざしたのだ。

　その瞬間、張り詰めた緊張感が最高潮に達した。

が、思いがけないことに、この沈黙を奪ったのは社殿に向かって疾走する馬の蹄の音だった。

　間もなく、一人の神職が社殿内になだれ込んでくる。何かを叫びながら長い鈴のようなものを五個、錦の袋に入れて本殿前に飾られた榊の枝に掛けた。

　するとそれを見た神職が柱に縛りつけていた縄を解いて少年を放ち、今度はその柱に小刀で傷をつけたのだった。

　やがて奇妙な雅楽の音色が再び響き出すと、漂う空気が一変した。

　賢司はその場に茫然としていたが、乾いた床をしならせながら歩く音で我に返った。

　なんと、隆々と角が生えた鹿の頭の剝製が次々に社殿のなかに持ち込まれ、祭壇の上に並べられているではないか。その数七十五体。本殿にはこのほか、鹿の生肉や脳みその模型、串刺しになったウサギやキジの剝製、魚、えび、米、餅なども捧げられた。

御頭祭で使用された御贄柱と榊の枝にかけられた鈴

過去に行われていた御頭祭のイメージ

現在の御頭祭で使用されている鹿の頭

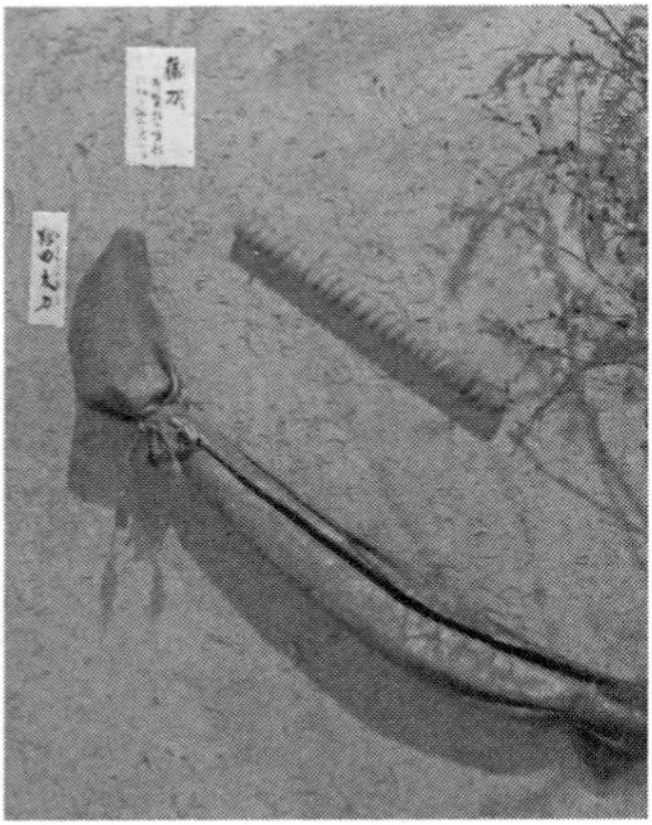

実際に御頭祭で使用されてきた藤刀と根曲太刀

間違いない——。

つと、さきほど見た守屋山にまつわる聖書の説話が胸中に蘇った——。

聖典《せいてん》の民の始祖アブラハムは、ある日、老齢にしてやっと授かった嫡子イサクを生贄として捧げるよう神に命ぜられる。アブラハムは悩んだ。しかし神を信じ、イサクを全焼の生贄として捧げるため、山につれ、手足を縛り、薪の上に寝かせ、刃物で屠《ほふ》ろうとする。

だがそのとき、最愛の息子でさえも神を信じて捧げようとするアブラハムの強い信仰心を神は認め、生贄を中止させた。するとアブラハムは、代わりに近くの茂みにいた羊を捧げたのである。——創世記《そうせいき》二十二章、旧約聖書のなかでも最も重要な説話の一つだ。

モリヤ山でイサクを屠ろうとするアブラハムを止める天使

その山が、後日神殿が築造されたモリヤ山であり、一帯がのちのエルサレムなのだ。

イスラエル王国時代、過越祭《ペサハ》でも七十五頭の羊が捧げられていたのを、賢司は思い出した。日本では湿気で羊が育たないから、同じコシェル

（ユダヤ教徒が食べてよいもの）の鹿を捧げたのだろう。

隣のイラージが小声で、「ミサクチ神は、ミ・イサク・チ神だよ」と耳打ちすると、デービッドも「それはアラム語で、イサクが信じていた神という意味だよ」と告げた。

幻妖な雅楽の調べはいましばらく続いていたが、それもほどなく終わると、兼平が愕然とした表情の賢司にひと言伝えた。

「これがお父さまと約束した真の御頭祭の核心部分です」

兼平は静かにそういうと、今度は神職が手渡したノートパソコンをみんなの前で開いた。

忠告

「えっ？　まだあるんですか？」

賢司は驚きの表情を向けた。

兼平は「はい」とだけいうと外の石段を上がり、みんなを哀愁漂う拝殿の前へと導いた。

「もう一つ、お父さまとお約束している御柱祭《おんばしらさい》というお祭りです。しかし何分、大きなお祭りでして、ビデオと写真でご覧に入れようと思います。六年に一度行われる起源不詳の諏訪大社最大行事で、日本三大奇祭の一つともいわれています。また、駐日本イスラエル大使がわざわざこの諏訪大社に来られ、見学されるお祭りでもあります」

「えっ、イスラエル大使ですか?」と、デービッドが声を強ばらせた。

静かに頷く兼平に、みんなは一斉に身構える。

と、間もなく、兼平の操作で動画が始まった。

大勢の氏子たちが大声で叫びながら大木をロープで引いている。大木は神でも祀るように化粧され、周囲には太鼓やラッパが鳴り渡り、まるでどんちゃん騒ぎのフェスティバルのようだ。

動画はしばらく続いたが、それだけにしか思えなかった。大木が非常に大切なもののように扱われているのはわかったが、特にユダヤ的な要素は思い当たらない。

「こうして氏子たちは山で大木を伐り出したあと、引きながら街を練り歩くんですよ」

兼平がいうと、ビデオは意外なほどあっさり次のシーンに切り替わった。

今度は大木が川を渡るシーンだった。

が、橋の上を渡るのではない。わざわざ手前に見える橋は避け、大木を川に浮かしてロープで引っ張るのである。

周囲には、ラッパや太鼓の音が、さっきの街なか以上に

諏訪大社の御柱祭で川を渡る御柱

力強く鳴り響いている。人々は興奮し、水のなかでは大騒ぎした数百人の氏子たちがロープを全力で引っ張り、対岸からも力の限りたぐり寄せていた。

その息の詰まるような光景に、四人は思わず色めき立ったが、賢司は脳裏で記憶の断片が蘇ってくるような気がしていた。

しばらくすると、またビデオは次のシーンに切り替わった。

今度は急斜面の山上から、柱の一端がはみ出すように横たわっている。はみ出た部分には数人の氏子たちが跨《また》がり、周辺にも無数の氏子たちがひしめいていた。

と、次の瞬間、氏子たちが柱に通されたロープを力いっぱい引いたかと思うと、大木は砂埃《すなぼこり》を舞い上げながら勢いよく斜面を滑り落ち始めた。

祭りの緊張は頂点に達していた。大木の上の氏子たちの姿は、まるで空飛ぶ龍にしがみついているようだ。周りの氏子たちも一斉に斜面を走り降りてきた。力尽きた数人が振り落とされていく。柱から転げ落ちるもの、途中で転ぶもので斜面はごった返す。そして、大木は一気に山を降りきった。

動画が止まると、兼平は、拝殿の横に寂しげに直立する一本の柱のほうに手をやった。

「いまご覧になった大木がこの柱です」

その柱を仰ぎ見たとき、賢司にはそれが何だかわかったが、王は拍子抜けしたような形相をしてみせた。

「単に、人々が木を引っ張っているようにしか見えなかったけど」

諏訪大社の御柱祭で山を滑り落ちる大木
（写真提供:谷口隆）

諏訪大社前宮の境内に立てられた御柱

賢司は、王に向かっていった。
「この御柱祭も聖書のお祭りだと思うよ」
賢司が考えていたのは、ソロモン神殿の建設だった。ソロモン神殿は主構造は石であったが、多くの木材も使われていた。しかし原料のレバノン杉は虫の食わない良木であるために重宝され、乱伐の対象にもなっていた。中近東の広範囲に分布していたレバノン杉は、当時、レバノン山脈の山上にしか残っていなかったのである。

ソロモン王はレバノンのヒラム王に使者を送りレバノン杉を購入すると、山から伐り出し、斜面を滑り降り、川や海を渡ってイスラエルまで運んだのだ。木を伐採する人だけで一万人、荷を運ぶ人は木と石合わせて七万人というから、それはもう御柱祭以上に一大事業だったのだ。

賢司は奇妙なことをいい添えた。

「そして陸路を経てエルサレムにたどり着くと、何本かはソロモン神殿の周りに神として立てたんだよ——ちょうど僕たちの目の前のこの柱のように」

ソロモン神殿建造のためにレバノン杉をレバノンの山から伐り出すイスラエル人

木に宿る女神アシェラ(写真提供:Hanay/ CC-BY-SA-3.0)

するとデービッドが思い出したように割って入った。

「そういえば昔、日本語の〝はしら〟の語源は、中東の木に宿る神アシェラじゃないかっていっていた奴がいたな。当時は背教が激しく、アシェラは木に宿る神だから、木を崇拝するという考え方は、この地方では一般的だったんだとか――」

帰路、賢司は、今日目撃したことを少しでも消化しようとしていた。

どうしても信じられない。――数千年前、モリヤ山で起こったと聖書に伝わる説話が、時空を超え、日本の守屋山で、数千年の歴史を持つ祭祀として目前に再現されたのである。

言葉を失い、魂が抜けたような表情で石段を降りる四人。が――。

「賢司さん！」

兼平の叫び声が、突然後方からきこえた。

賢司が一人、石段を駆け戻っていく。

すると兼平は、優しくも改まった口調で語り出した。

「賢司さん、今日私はお父さまとの約束でいろいろとお見せしましたが、神道は本来、自然の恵みに感謝し、五穀豊穣《ごこくほうじょう》と人々の平穏な生活を祈り、世の中の安寧を祈願する宗教です。また人間の良心への信頼に基づいているため、戒律や聖典がない宗教でもあります」

ここまできいて賢司には、なぜ兼平がこの話を切り出したのか理解できないでいた。

「しかし同時に、神道には明確な教義がないため、ほかの宗教を許容できる範囲が大きい。だからユダヤ教との類似性が一人歩きしているのではないでしょうか」

はい、といったものの、賢司は兼平の本意がまだわからない。

それを察してか、兼平は驚くほどの鋭い目つきになった。

「悪いことはいいません。あまり深入りしないほうがいいですよ」

その眼光の強さに、賢司は吃驚する。

父の死への想いを伝えたが、兼平はそれさえも振り切るようにいい返してきた。

「賢司さん、あなたはお家柄から、神道の本当の秘密にたどり着けるかもしれません。ただ、それはお勧めできません。一刻も早く、米国に戻られることをお勧めします」

それでも発言の真意がわからず、賢司はただ意外な顔で兼平を見つめていた。

兼平は再び説き伏せるような表情でいう。

「詳しくはいえませんが、賢司さんご自身のためですよ――」

しかし、賢司の目にはいまだ疑念が渦巻いていた。兼平の眼に宿る凛とした冷たさは父への友情から生まれた単純な助言なのか、それとも不穏な将来への暗示を投げかける警告なのか見極めがつかなかった。賢司はその場に固まったまま、しばらく深い霧のなかを彷徨っていた。

郭大使は張り詰めるような沈黙をいきなり破った。

「で、玉もか？」

その納得したともとれる声遣いに希望を抱きながら、周領事は快活な響きで説明した。

「はい。まず八世紀に発令された神祇令《じんぎりょう》という法律では、皇位が継承されるとき祝詞《のりと》を読み上げ、鏡と剣を奉呈《ほうてい》するとなっています。曲玉《まがたま》の話はまったく出てこないんです――」

郭大使は何かを口ごもっていた。

周領事はすかさずその心の隙に一撃を加える。

「つまり、皇位継承に玉はもともと関係がなかったということです」

その言葉が胸を鋭く刺したのか、郭大使は暫時、次の言葉を探し出せない様子だった。

しかし、やっと見つけたように、

「玉はもともと存在していなかったということか？」

と舌早に問い質すと、周領事は当然といわんばかりの表情を返した。

「もともとは玉でなかった、ということも十分考えられます」

「玉の神話もデタラメということか？」

「間違いありません――。神話は真実をカモフラージュするためのつくり話です」

いいながら、印象を刷り込むように大きく頷く周領事。郭大使は黙っていた。

しかし、その目顔を見て周領事は思った――あと一歩だ、と。

太い声で、追い打ちをかけるようにいい添える。

「一応、文献上では、本体は皇居にあることになっています。しかし社殿にあるのではなく、剣璽《けんじ》の間《ま》という皇居の一室に剣のレプリカと一緒に安置されているのです」

しかし郭大使はまだ何もいわない。周領事はさらに槍《やり》で突き上げるように煽り立てた。

「レプリカでなく本体が、社殿でなく、単なる部屋に置かれているのです」

やっと低い呻きが洩れてきたが、郭大使は眉根を揉みながらまだ自問自答しているようだった。

周領事には、その内容はだいたい察しがついた。恐らくは、先日、党の政治局員との会議で確認された内容のことだろう。

中国の安全保障は、南シナ海から米軍を排除し、内海とすることができるかどうかにかかっている。陸上の核弾頭は先制攻撃によってすべて無力化される危険性があるからだ。中国が米国に向けて核弾頭ミサイルを潜水艦から安全に発射できる深さを持つ海はここしかなく、その確保が米国との軍事的均衡を保てるかどうかのカギとなっているのだ。

そのためには、南シナ海の最北端にある台湾を中国のモノとすることがどうしても必要となり、その台湾を守る沖縄の米軍基地の排除が不可欠だ。

やはりどう考えても、日米安全保障条約が最大の障害となる。

もし、米国メディアと外交政策に強力な影響力をもつユダヤ勢力が日本に急接近すれば、いま中国が進めている沖縄独立計画にもどんな歯止めがかかるかわからない。毎年一兆円の情報戦予算をかけて米国同盟国の教科書に日本軍の捏造《ねつぞう》残酷写真を記載し、憎悪を膨らませることで同盟弱体化を図ってきたが、それさえもどうひっくり返されるかわからない。

確かに、イスラエルが突然動き出したこと以外は何の確証もない。しかし先を越されて致命的なダメージを受けるのはやはり中国、何よりも郭大使自身だ。

常に自分が最優先の郭大使のことである。そんなことを考えているに違いない――。

郭大使の心変わりの表情を見て、周領事は内心ほくそ笑みながら次の言葉を確信する。

すると郭大使は冷めた熊猫《パンダ》茶を一気に飲み干し、決意の色を浮かべていったのだった。

「よし、わかった。赤猫をつけよう」

カラスの足

「いらっしゃいませ、ミスター・リチャーディー」

気高いホテルオークラのドアマンは、タクシーのドアを引きながら満面の笑みを投げかけた。賢司は感激してチップを渡そうとしたが、頑なに断られた。

それを横目で見ながら、王が不満そうに呟く。

「日本人はマッタク奇妙な人種だよ。そんなモノもらっておけばイイのに。ドウセ政治家や官僚はミンナもらってイルんだから。拒むのは、下っ端ダケさ」

「そこはちょっと中国とは違うんじゃないの？」

デービッドの反論に、みんなは呵々大笑《かかたいしょう》した。

チェックインが済むと、その王が恥ずかしそうに賢司にすり寄ってきた。

「賢司、ボクの部屋の番号、最後が四で縁起がワルイんだよね。かえてくれってホテルに頼んだら、大きな会合で満室らしくて。モシよかったら、部屋を交換してクレナイか？」

賢司はシニカルな笑いをつくる。

「陰謀論さえ信じているリアリストが縁起担ぎか？」

「まあ、ソンナもんなんだよ、中国人は」

王が肩をすくめると、賢司はとりあえず失笑しながらこたえた。

「別に構わないよ。そんなの」

「サンキュー。じゃ、シャワーでも浴びてひと休みシタら、ご飯でも食べにイコウか――」

賢司の部屋は落ち着いた雰囲気の部屋だった。ベージュの壁に照り返す神々しい間接照明。洗練された織りの入った薄金色の絨毯。そこに馴染むように調和するシックなモダン調の家具。カーテンを閉めれば、まるでニューヨークに帰ってきたような錯覚がアドレナリン・レベルを一気に下げてくれる。賢司は長く吸った息にこれまでの疲れを込めて吐き出すと、背中のリュックをベッドの上に放り投げた。が、そのとき――。

突然、〝天国への階段〟が鳴り響いた。王の番号だ。なぜか胸騒ぎがする。

「賢司、チョット来てくれないか！」

その取り乱した声に、賢司も度を失いながら王の部屋にすっ飛んだ。

部屋の外でドアを開けながら待っていた王は、賢司を見るとあたふたした様子で早く、早く！ と二度叫ぶ。中に入るよう、しゃかりきに手を大きく振り回していた。

「ベッドをミテ――」

賢司は、抜き足で部屋に入っていった。

その足がぴたと止まる。ベッドの上の切り裂かれた枕から、まるで飛び出した人間の腸のように羽毛がまき散らされていた。

賢司は振り返ると、いまだ肝を潰したような表情の王の背後から、デービッドとイラージが部屋に飛び込んできた。

「どうしたんだよ⁉」

賢司がベッドの上を指さすと、二人もおののきながら言葉を失った。

「あと、アレも」

突き出された王の指の先には、白鞘《しらさや》の六寸短刀が、鞘から抜かれた状態で無造作に放置されていた。

「部屋に入ったらコウだったんだよ」

いいながら王が短刀に近づこうとすると、賢司がその背中に叫んだ。

「待って！　証拠が荒らされるからあまり近づかないほうがいいよ」

「ああ、ソウだった」

王の体がびくりと止まると、「じゃ、とりあえずフロントに連絡してくる」といって部屋を飛び出していった。

「この短刀、ヤクザ映画とかで使っているやつでしょ？」

落ち着きを取り戻したイラージが、デービッドに尋ねる。

「右翼も使っているけどな」

そうはいったが、あたりを観察するデービッドの眼が急に疑惑の眼になった。

「これ、日本人の仕業じゃないぜ」

みんなの刺すような視線がデービッドに留まる。

「こういう激しい脅し方じゃないんだよ、日本人のやり方って。例えば、その短刀だってそういう風に乱暴には置かない。逆に、ちゃんと鞘に入れてきちんと置いて、その静けさで相手を脅すんだよ。冷静沈着に狙っていますよってな。それにこの短刀、日本製じゃないぜ」

賢司は、訝しげにその短刀を睨みつけた。デービッドはそのまま続ける。

「この白鞘《しらさや》って、本来は刀を使わないときに入れておく刀の寝間着みたいなものだけど、日本人って、そんなものでも完璧につくるんだよ。わかるだろう？　日本人の潔癖主義的な性格って。でも木はヤニが出るから、朴の木っていうヤニの出ない特殊な木を使うんだよ。でもあの鞘の先のところを見てみな。ちょっとヤニが出ているだろ？」

デービッドがアゴで指すと、イラージは数学者のような冷然とした表情で頷いた。

「でも、わざとそう見せているという可能性も否定できないね」

賢司も小首を傾げながらいう。

「この部屋は僕の名前で予約してあったんだよ。だから父を殺害した人たちかも」

「僕たちも危ない？」

デービッドは、イラージの懸念を打ち消すように首を振る。

「脅すってことは、逆に傷つけたくないってことさ。理論からいえばな」

賢司は、兼平宮司がいったことを伝えようか一瞬迷った。

そのとき、王が戻って来て、血相を変えたホテルの担当者があとに続いた。

ホテルマンに事情を説明していると、やがて警察官が二人現れ、今度はデービッドとホテルマンの通訳を通してきき取りが始まった。賢司はニューヨークであった父の殺人事件について話したが、なぜか兼平宮司とのことは話せないでいた。

「これは王さんのものですか？」

ベッドの向こう側にいた一人の警官が、白手袋の手で何かを拾い上げた。

立体的なシャンクボタンのようだが、表面に何か黒いマークが刻まれている。

真っ先に覗き込んだデービッドが、困惑の表情を露わにいった。

「何だ？　カラスか？」

「ということは、このヘルマン氏のメモの鳥の絵ってカラスのことかな？」

賢司は小首を傾げると、イラージがいつもの鋭い目で指摘する。

「このカラス、足が三本ある」

「じゃあ、これは八《や》咫烏《たがらす》っていうんだよ。僕はサッカーが好きだから知っているんだけど、全日本代表チームがトレードマークにしているよね。三本足のカラス。面白いなって思って調べたら、初代天皇の神武天皇が国を平定するとき、道案内をした伝説の烏《からす》らしい」

賢司の説明に王が苦笑しながらこたえた。

「三本足のカラスの起源は中国だよ。日本人はスグ中国人はパクると文句いうけど、昔は、日本人もパクってイタんだよね。いずれにしろ、ヤッパリ、コレ、日本の右翼のシワザだね」

その話にも一理あるが、賢司には一概にそうともいいきれないと思えていた。

確かに兼平宮司は、深入りするのはためにならないといったし、この部屋は自分の部屋になる予定だった部屋だ。でも、もしデービッドが正しければ、日本人以外の誰かが日本人に見せかけて行った捏造という可能性も十分に考えられる。

詮索されるのを嫌がっているのは、一つのグループだけか？　それとも――。

突然、〝天国の階段〟が沈黙を破った。賢司は部屋端へ寄りポケットから電話を抜き取ると籠神社《このじんじゃ》からだった。大分落ち着いてきたとのことだったので、賢司は二十日に行くことを約束した。

そのとき――。

「Ｇｏ　Ｈｏｍｅ！」

小さなささやきだったが、賢司は頭の後ろにはっきりとその言葉をきいた。

慌てて振り向く。しかし――、

視界に入ったのは、背を向けて立っている一人のセキュリティだけだった。――ん？

「あの――、すみません――」

賢司は回り込んで顔を覗き込んだ。

――無表情な顔をのったりともたげる男。賢司の目に力なく焦点を合わせた。

「何か？」

「――えっ？　何かっ？　って……い、いま、私に話しかけませんでしたか？」

八咫烏に導かれる神武天皇

上ずる賢司の声。

「いいえ」

男は覇気のない声でこたえた。しかし、ほかに耳元へささやける距離には誰もいない。

「で、でも――」

「いいえ」

男は賢司の言葉に自分の言葉を覆いかぶせると、今度はその死んだ魚のような目で、無言の圧力をかけてきた。もう、きくなと――。

――？　狼狽《うろた》えながら賢司は、男の目の奥を探るように眺め入る。

すると男は賢司の目を見つめながら、周りに悟られないように僅かに口元の筋肉だけをそっと緩めたのである。そのなんとも気色悪い面様に、賢司は背筋がゾクゾクッとした。

男は無言のままそろりと振り返ると、亡霊のように立ち去っていった。

その怪しげな背中を力なく傍観しながら、賢司には兼平宮司がいったことの意味がわかったような気がしていたのである。

六階の一室に戻ると、男はセキュリティの制服をフロアーに脱ぎ捨て、スマートフォンで短文メッセージを書き出した。

「作戦完了」――送信ボタンに触れながらひとりニンマリする。

閉めきったカーテンの重たい空気の部屋で、スマートフォンの明かりだけが、その不気味な表情を暗闇に浮かび上がらせていた。

日本ユダヤ教団

翌朝、日本ユダヤ教団の玄関から現れたのは、悲痛な面持ちの初老の男性だった。細身で長身。オリーブ色の肌と真っ黒の髪——白人ではなく、いわゆる中東系のユダヤ人、スファラディだろう。夏の不意の来客にも上着を着て応対するこだわりが、伝統を敬いしきたりを重んじる品格のようなものを感じさせている。

「予約はありますか？」

その表情は警戒心を隠しきることができないでいる。彫りの深い真っ黒な瞳は思慮深そうであったが、眉根が若干寄っていた。

男性は、セキュリティ上の理由から、ユダヤ教団でのラビとの面会には予約が必要だという。また出直します、という返事を待っているようだった。

賢司は、「ラビ・コーヘンですか？」と相手の期待を裏切るようにきいてみた。

「いいえ、ラビ・コーヘンはいま居りませんが——」

依然、眉根は立ったままだ。その声音に何か不自然さを感じた賢司は、清美から紹介されたことを伝え、日にちを変えてでもラビ・コーヘンにお会いしたいと申し出た。

「そうですか。清美さんには、その節はいろいろとお世話になりまして。実は——、ラビ・コーヘンは——、先日他界されまして」

奥歯に物の挟まったようなその言い回しに、賢司は父の事件との関連性を直感する。賢司は自己紹介し、これまでの経緯と日本に来た理由を説明した。

男性はその一つひとつを賢司の目を見つめながら無言できくと、若干警戒心を解いた表情でいった。

「そうでしたか、失礼しました。私は元駐日イスラエル大使のデーブ・ヘラーと申します。ラビ・コーヘンの親戚で友人でもあります。実は、私はあなたのお父さまの海部宮司もヘルマン氏もよく存じ上げておりましたし、お父さまからは賢司さんのお話をうかがったこともあります。宮司は本当に素晴らしい方でした……まったく残念です」

「どうして、私の父を？」

「海部宮司は、神道とユダヤ教との関連について非常にお詳しい方だったからです。ラビ・コーヘンも、お父さまととても親しくしておられました。残念ながら二日前に強盗に遭い、書斎で殺害されてしまいました」

嫌な予感が当たってしまった残念さを感じる間もなく、ヘラー氏は続ける。

「ところで、いま、イスラエルからラビ・コーヘンの娘さんが来ています。ラビ・コーヘンと同じように、イスラエルと日本の古代史をヘブライ大学で研究していまして、海部宮司とも親しくしていただいたようです。息子さんの賢司さんが来られているということであればお会いしたがると思いますので、中にどうぞお入りください――」

四人はなかに通されへラー氏が奥へ消えると、しばらくして一人の女性と再び現れた。ナオミと紹介された二十代後半のその女性は、栗色のショートヘアーで、細面の目が覚めるような美貌の持ち主だった。聡明さと優しさをちょうどいいバランスで持ち合わせたような愛らしい茶色の瞳をしていて、時折洞察力に富んでいそうな鋭い眼光を見せる。悲しみと混乱のさなかにおいても、気丈に振る舞う心の強さを持ち合わせているようだった。

四人が挨拶すると、ナオミはソファに座るよう促した。

お手伝いの女性が二人でワゴンを押しながら現れ、イスラエルの名産というアーモンド・ティーとクッキーを配った。ナオミはみんなに遠慮なく召し上がるようにと伝えると、

「私が賢司さんにどれだけお役に立つ情報を差し上げることができるか、正直わかりません。というのは、私が大学でイスラエルと日本との関係を勉強し始めたのは大学院に入ってからで、それ以降は日本に来るのは今回が初めてなんです。父は、自分は盗聴されていると考えていましたので、このことに関しては電話やネットで情報交換しようとしませんでした。ですので、あまり議論する時間がなかったのです」と申し訳なさそうにいった。

賢司は小さく溜息をつきながら頷いたが、日本とユダヤの関係に関するラビ・コーヘンの研究ノートなどがあれば、見せてもらえないか願い出てみた。

「それが――、父は襲われたとき、書斎で一人でいたそうなんですが、研究結果が入っていたコンピュータとバックアップデータや関係書類がすべて盗まれてしまったんです。警察も恐らくそれが狙いだったろうと」

「そうですか。それはとても残念です……」

賢司は本心からそう呟いたが、ふときいてみた。

「ラビ・コーヘンは、いつも書斎で研究されていたんですか？」

「ええ。あっ、といっても――、たまに飽きると、気分転換でこのリビングでも研究することはありましたが。あの机です」

ナオミは、部屋の隅で内側に向かって配置されたローズウッドの古びた机を指さした。

「もしよろしければ、引き出しのなかに何かないか調べていただけませんか？」

ナオミは「結構ですよ」といいながら机に行き、引き出しのなかを上から順に確認した。

「でも、残念ですが――、特には何もなさそうですね……あれっ？　んっ？　この一番下の引き出し――、なかで何かが引っかかっているみたいです――」

明らかにナオミは何かに手こずっていた。張りのある額に短い皺を寄せ、引き出しをガタガタと前後左右に揺すっているが、一向に開きそうにない。

「私がやってみます」

といって、今度はイラージが引き出しの前にしゃがみ込んだ。

いつもの硬い表情で、荒い音を立てながら数回揺さぶっている。

しかし、どうにも開きそうになかった。

すると何を考えたのか、机の下に潜り込み、引き出しの横を注意深く観察し始めた。

「ほら、ここに透明のセンサーが張ってある」

イラージはスマートフォンのライトで小さな透明フィルムを照らしだすと、「何かお父さまの持ち物で、ここに当てる光のようなものは？」といいながら、ナオミを見上げた。

一度、斜め上に視線を投げながら考えるナオミ――。

「あっ、そういえば、父のキーホルダーに何かついていたと思います」

一旦部屋を出ると、間もなく右手にキーホルダーを持ってきた。

「それのようですね」

イラージは先端方向をセンサーのほうにかざし、端を押したり全体を捻ったりしてみた。

カチッと、明らかに何かが外れるような機械的な音がした。ナオミが驚愕の色を浮かべながら大きな茶封筒を取り出すと、なかから出てきた紙を机上にひろげながら呟いた。

「この絵、一体何かしら――」

合理・非合理・不合理・反合理

日本ユダヤ教団の近くの路地で、小橋はしたたり落ちるような頬の汗を拭いながら、スマートフォンに映し出された番号を見つめた。――宗村だ。

一体、何の用だろう？　小橋は不思議に思いながらも、深く考えずに受信ボタンを押した。

「直樹か？」

いつもの宗村らしい誠実そうな響きの声だった。

「――おまえ、下鴨神社を飛び出したんだってな？」

突然の刺すような言葉に小橋はピクリとする。どこか罪悪感の滲んだ声が出た。

「何で、宗村がそんなこと知っているんだよ？」

「いやあ、この前、伊勢神宮で小橋に会ったとき、ちょっと変だったから下鴨神社の先輩に電話してみたんだよ」

小橋は息を一つ吐いた。できればこの話は、宗村とはしたくない。

「また日本の将来なんて、考えたってどうにもならないことを考えているのか？」

小橋は、ちょっとムッとしたが感情を抑えた。宗村の唯一の欠点といっていいのが、この説教じみた助言で絡んでくるところだった。

「いいか、世界は英語がベースのインターネットで繋がった。これからは、言語も文化も、みんなグローバル化されて一つになっていくんだよ。国境なんか不要になるのさ」

「宗村は日本の伝統や文化が嫌いなのか？　教育やメディアを占領されて、日本人の頭のなかに何が入り、何をどう評価するかの基準でさえ外国人が決めていることに腹が立たないのかよ？　日本の子供たちが学校で使う教科書の検定にまで、外国人スパイが入り込んでいるんだぞ？　それが良いか悪いかの判断以前に、そもそも建て付けが悪すぎるじゃないか」

小橋のその言葉を宗村は鼻で笑った。

「じゃあそう思ったところで、どうなるっていうんだよ。日本みたいな小国がアメリカという歴史と文化のない超大国と、中国という歴史と文化を否定した超大国に挟まれて——」

吐き出しそうになった悪態を、小橋はぐっと呑み込む。神職でありながらここまで合理的に物事を割りきれる宗村の潔さも多少うらやましかったが、やる方なさも覚えていた。

「どうにもならないんだったら、歴史や伝統の枠にとらわれずに合理的に自由に考えて、一歩早く進めばいいじゃないか。米中のように伝統や文化なんてなきゃないで済むものさ」

ここまできいて、小橋はとうとう我慢できなくなった。

「宗村、おまえは合理的、合理的といって合理をいつも崇拝しているけど、合理なんて所詮人間が考える程度のものでしかないんだよ。合理がこの社会や文明をつくったわけではないし、合理的に判断した答えが正しいという証明はどこにもないし、ましてや合理が国や世界を正しく豊かな方向に導くなんて証明も保証もどこにもないんだよ。合理的に考えれば、将来を予測できる——だから正しく導くことができるという考えは、人間の浅はかな傲《おご》りだよ。だったら、おまえが信じているものだって、合理教や理性教とも呼ぶべき非合理な宗教じゃないか」

いきなり浴びせられた言にたじろぐ宗村。小橋はさらに思いの丈をぶちまける。

「おまえは勉強不足だよ、宗村。だからそんな安直だけど耳障りのいい言葉に踊らされるんだよ。よく考えてみろよ。理性や知識や科学だって結局は人間が何かを思いついたときではなく、自分たちが間違っていて、それまで知らなかったことを知ることで前進していくんだろ？　思いついたことが正しいか間違っているかなんて、結論づけられるのは結果だけだからな。だったら人間には、理性や社会が進む方向でさえ、自分自身で合理的に決定する能力どころか方法すらないってことじゃないか——たとえ、おまえがどんなにそれを望んだり、努力したり、知ったかぶりをしてもだ。逆に、合理的に決められないからこそ、理性にも、社会にも、文明にも前進する余地も自由もあるんだよ」

小橋は大息をひとつ呑んだ。

だが、まだ何もいえない宗村に、荒い声ですぐ追い打ちを掛けた。

「宗村、いい加減気づけよ。合理が一体、何をもたらしたっていうんだよ。おまえのような合理崇拝の先にあったのは、文化や価値や道徳を破壊し、自由の名の下に自由を抑圧し、寛容の名の下に他の意見を封殺してきたリベラルと称する全体主義や宗教さえ否定した共産主義じゃないか。日本人の力を削ぐために昔は神社で行われていた地域のミーティングを、戦後神社から切り離して日本中に公民館を建てまくったのは、ソ連にシンパシーを感じていたアメリカのリベラルだってことをおまえも知っているだろ？　だから奴らの協力者の残党が、いまでも神道を国民から遠ざけようとしているんじゃないか——でもその実験は、歴史が示すようにもう失敗したんだよ、ソ連の崩壊とともに。

なにも俺は不合理や反合理まで擁護するつもりなんて毛頭ない。でもいいか、非合理がおまえの好きな合理を守っているんだよ。伝統こそが自由や価値や道徳を守る最後の砦《とりで》なんだよ。これこそがおまえがまだ気づいてない、気づこうともしない、あるがままの真実だ。だから父に伝えてくれ、俺はもう決めたんだと。どんな形であれ、外国からのこれ以上の日本の神道や伝統への圧力や干渉は、もう許すことはできないと」

やっと宗村はウンザリしたような声でいった。

「おまえもまったく強情な奴だな」

「強情じゃないと、神道も、伝統も、価値も、文化も守れないんだよ。守るっていうことは、そういうことなんだよ」

小橋はそういうと、一方的に電話をぷつりと切った。

聖なる絵

「ラビ・コーヘンは、絵心がおありなんですね」

賢司は、出てきた木版画の繊細でバランスのとれた構図に感心しながらいった。

「ええ、父も私も浮世絵が好きで、あの木版画も父と私で制作したんですよ」

ナオミは壁に掛けられた神々しくも端正な富士山の木版画を指さすと、父のことを思い出したのか、表情が束の間柔らかくなった。

賢司もその絵を正視しながら、子供の頃、浮世絵を研究していた母からよくレクチャーを受けたことを思い出していた——。

「賢司、浮世絵の研究が最も進んでいるのは、実は日本ではなくて欧米なのよ——」

母イエナンは浮世絵の話になるといつも饒舌《じょうぜつ》だった。

「西洋にとって浮世絵の構図は刺激的だったんだけど、実はこの鮮やかな色が目を引いたのよ。西洋絵画は色を混ぜるけれど、浮世絵は色を混ぜない。実はこの〝混ぜない〟というのは、例えば日本料理でもそうなんだけど、世界でもまれに見る日本文化の特徴なの。フランスの印象派も、この単色の色々が生みだす見たこともない美しい世界に驚嘆したのよ。だからオリジナルの色を保存するために、日の光に当たらないように保存したの」

幼い賢司にとってそんな話はどうでもよかったが、母といる時間が楽しかった。

「浮世絵はいまでいう出版社の版元がまず絵師に絵をお願いして、その絵をもとに彫師が版を彫るのよ。一色に対して一つの版。だから、もし十色あったら十版彫るの。最後は、その版を摺師《すりし》がずらさないように刷る。まったくずらさないなんて大変な作業よ。最初は黒い線だけの墨版。その上に色を一版一版、薄い色から順に重ねていくの」

「でも、そんなの一人でやったほうがいいんじゃないの？」

「いいえ、これは本当のプロの技よ。髪の毛の生え際なんか、一本、一本彫って、すごい名人なんか一ミリの間に三、四本も彫るのよ。摺師だって糊《のり》を色に混ぜて、微妙なぼかしやグラデーションをつくったり——とてもじゃないけど一人でマスターできる技じゃないわ。だから通常浮世絵には版元と絵師の名前が入っているんだけど、そんな名人を指名して制作した浮世絵は彫師や摺師の名前も入っているのよ——」

ナオミは一枚目の絵を机の上にひろげた。羊飼い風の男が、若い二人の女性と話している絵だ。

ラケルとレアに話すヤコブ

「これはどうやらヤコブの絵のようですね」

ヤコブとは、イスラエルの民の祖ともいわれる人である。聖典《せいてん》の民の始祖アブラハムの息子は、モリヤ山で生贄《いけにえ》になりそうになったイサクだが、ヤコブはそのイサクの息子であった。

ヤコブは神の祝福を受け、イスラエルと名乗り、神の民イスラエル人の父祖となる。イスラエル人にとっては〝最初のイスラエル人〟といってもいい存在であった。

「この男性がヤコブで、二人の女性は妻のラケルとレアでしょう」

そういうと、ナオミは次の絵を机の上にひろげた。

エフライム族の始祖エフライム

ターバンのようなものを頭に巻きつけた一人の男性が、威風堂々とした姿でこちらを睨んでいる絵だった。周りを圧倒する、畏怖させるような風格を体中から発している。足下では男の子が一人遊んでおり、その横には簡単な家系図が示されていた。
「これはヤコブの孫で、北イスラエル王国の王族となったエフライム族の始祖エフライムのようですね。横の家系図は、父祖ヤコブからエフライムの子供までの簡単な家系図」
ナオミは次の絵を机の上に並べた。頭に王冠をかぶった王と思わしき一人の男性が、うかがいを立てるような眼差しで、天に向かってハープを奏でている絵だった。

「ハープというと、これは古代イスラエル王国の第二代王、ダビデ王だな」とデービッド。

「ええ。そのようですね。次は四枚目です」

今度は一人の男が太腿《ふともも》のあたりに忍ばせていた剣を、素早く衣服をたくし上げながら取り出している絵だった。目の前の王に、いまにも襲いかからんばかりの凄まじい殺気をまき散らしていた。

ハープを弾くダビデ王

衣服の下に隠した短剣でケモシュの王を殺す英雄エホデ

「これは士師《しし》の時代の英雄、エホデの有名な逸話の絵ではないでしょうか？」
士師の時代とは、ヘブライ人がエジプトを脱出したあと、イスラエル王国建国前にカナンで部族生活をしていた時代のことであった。
「ええ、これはまず間違いないわね」
ナオミがそう賢司にこたえると、次に五枚目の絵を並べ置いた。

ソロモン神殿を建造するソロモン王

「何かを建てている王のようですね――ソロモン神殿を建てている古代イスラエル王国の第三代王、ソロモン王ではないかしら」

といってナオミが置いた六枚目の絵には、古代の戦場シーンが描かれていた。中東独特の趣の戦闘服に身を包んだ多数の兵士たちが、剣や弓矢を意のままに操りながら入り乱れるように血まみれの戦闘を繰りひろげている。そのなかでひと際目立つ、猛然と槍を振りかざした一人の長身男性を賢司は指さした。

誰よりも背が高かったイスラエル王国初代王サウル

「この雲つくような身丈からすると、これはサウル王かな？」
「ええ、この長身は古代イスラエル王国の初代王、サウル王に違いないわね」
ナオミのその言葉に、みんなはなんとなく解せないという顔をし始めた。単に聖書の説話を描いたのであれば、鍵をかけてまで隠す必要性がないからだ。ナオミが最後の二枚を並べていう。

「あっ、最後の八枚目は何も書かれていないようですけど――この七枚目の絵は律法の書のようですね――」

僅かな沈黙のあと、賢司が眉間に皺を寄せたまま重々しく口を開いた。

「これらはどうやらユダヤ民族にとって重要なことを包括的に列挙していますね。イスラエルの民の祖ヤコブ、建国前の士師《しし》の時代の英雄エホデ、イスラエル王国の初代王サウル、エルサレムを征服し栄華の基礎を築いたダビデ王、北イスラエル王国の王族の始祖エフライム、ソロモン王という南ユダ王国に繋がった王族の系統と、イスラエル人全体をまとめた律法。つまりイスラエルのルーツと全体、北と南、律法、すべてに関わっている」

すると王が、絵の右下に薄い鉛筆で小さく書かれた手書き文字を見つけた。

I GIN IN

「ナンだこれ？　GIN？」

「GINは英語の古語で、BEGINと同じだよ、〝始める〟……。だから、〝我、始む〟」

賢司が存外な表情でいいながら次の絵の字に視線を転じる。

AI FEU GAUZY AUK

「ここにもある――〝嗚呼《ああ》、かくも少なき、軽やかなウミスズメたちよ〟三枚目は――」

US, JIN

「JINはアラビアの世界で精霊のことだから、〝我ら、精霊が〟だね」

賢司はそういうと、次の絵を見た。

MAKE YOU ATTAR

「ATTARは、アラム語でカナン地方の明けの明星の神よ。だから〝汝を明けの明星神と成らしめん〟ですね」

ナオミがこたえると賢司は頷き、次の字列を睨む。

IN I SUN

「〝内方を、陽光をもって輝かせ〟次のは――」

「HUICはHUGの方言だから、〝……を擁《いだ》く〟で、最後のは——」

HUIC A …

AN AKIN OAK, IT IS

「〝それこそが、血族の樫なり〟」

賢司がすべてのフレーズをメモ帳に書き並べた。

我、始む
嗚呼、かくも少なき、軽やかなウミスズメたちよ
我ら、精霊が
汝を明けの明星神と成らしめん
内方を、陽光をもって輝かせ
……を擁く
それこそが、血族の樫なり

「ヤッパリよくワカラナイね。こうやってみても」

唇を歪めながら王が洩らす。お得意の茶化したような表情だ。

しかし隣で眉根を揉んでいたイラージが、急に声を張り上げた。

「賢司、これ間違っている。二つ目の文字列の〝少ない（FEW）〟だけど、よく見てみて。最後の文字、手書きがちょっと見づらいけど、これ〝W〟じゃなくて〝U〟だよ――FEUは法律用語で、そのままだとこの文章の意味がまったくおかしくなる。だとすると、これはアナグラム。それをわからせるために、この文章の作者はわざとFEUを入れたんだよ」

するとナオミがブツブツと唱えるように何かを呟くと、いきなり声を荒らげた。

「I GIN IN……I GIN IN……あっ、解ったわ！」

不幸になるだけ

落ち着きを取り戻す時間を見計らったように、宗村はしばらくすると電話をかけ直してきた。

「直樹か？　勝手に電話を切るなよ！　まだ伝えてないことがあるんだから」

相変わらずの大きい声だったが、声色に苛立ちが滲んでいた。

「ああ、悪い」

「わかっていると思うけど、小橋宮司が直樹が電話を取らないって心配していたぞ。しばらく前に辞めた俺に頼むんだから、オヤジさんも大分心配しているようだけど」

「――わかっている」

隠そうと思ったが、どこか負い目を感じているような声だった。

「悪いことはいわない。帰ったほうがいいよ」

小橋は黙っていた。

「神道の将来だか、日本の将来だか知らないけど、そんなことはおまえが一人で変えられることじゃない。宮司が仰るように帰るべきだ」

小橋は短く息をハッと吐いた。

「宗村、いくらおまえが俺の友人だとしても、それは無理だ」

「そんなことしたって、おまえも宮司も不幸になるだけだぞ」

「なんで不幸になるんだよ⁉」

感情的になるのは父に対しての後ろめたさの裏返し。そんなことはわかっていた。

その声をきいてもうこれ以上いっても無理だと思ったのか、宗村は諦めたようだ。

「まあ、いい。ここでまた神学論争したってしょうがない。でも、俺は忠告するぞ」

「わかった、それはありがたく受け止めるよ」

「じゃあ、俺はもう切るけど、宮司の電話だけは受けろよな」

そういうと、今度は宗村のほうが電話をぷつりと切った。

「I GIN IN――これNINIGIよ！　ニニギはアマテラスから命を受けていまの日本に降臨《こうりん》した神だから、この絵のヤコブのように日本人の祖のような神よ」

ナオミは、いい終わる前に次の絵の文字を睨みつけていた。

「AI FEU GAUZY AUK……。ええと……。UGAYAFUKIAEZU……。ウガヤフキアエズよ！　一枚目のニニギの孫で、初代神武天皇の父」

ナオミは次々と解読した。

「US, JIN……これはSUJIN……崇神《すじん》天皇ね……第十代天皇。四つ目が……MAKE YOU ATTAR……ええと……これはYAMATO TAKERU……ヤマトタケル……この絵の英雄エホデのように日本の英雄よ。五人目の IN I SUNは……これはSUININ、第十一代垂仁《すいにん》天皇。六人目のHUIC A……。これはCHUAIね、第十四代の仲哀《ちゅうあい》天皇のこと。最後が、AN AKIN OAK, IT IS …… ええと …… ええと ……TAIKA NO KAISIN …… 大化の改新。これだけ政変の

ニニギの天孫降臨

名前ね……」

「すごいですね。うちのロケット・サイエンティストもたまげていますよ」

賢司はナオミをそう褒め上げたが、イラージはそれには反応せずに、また意外なことをいい出した。

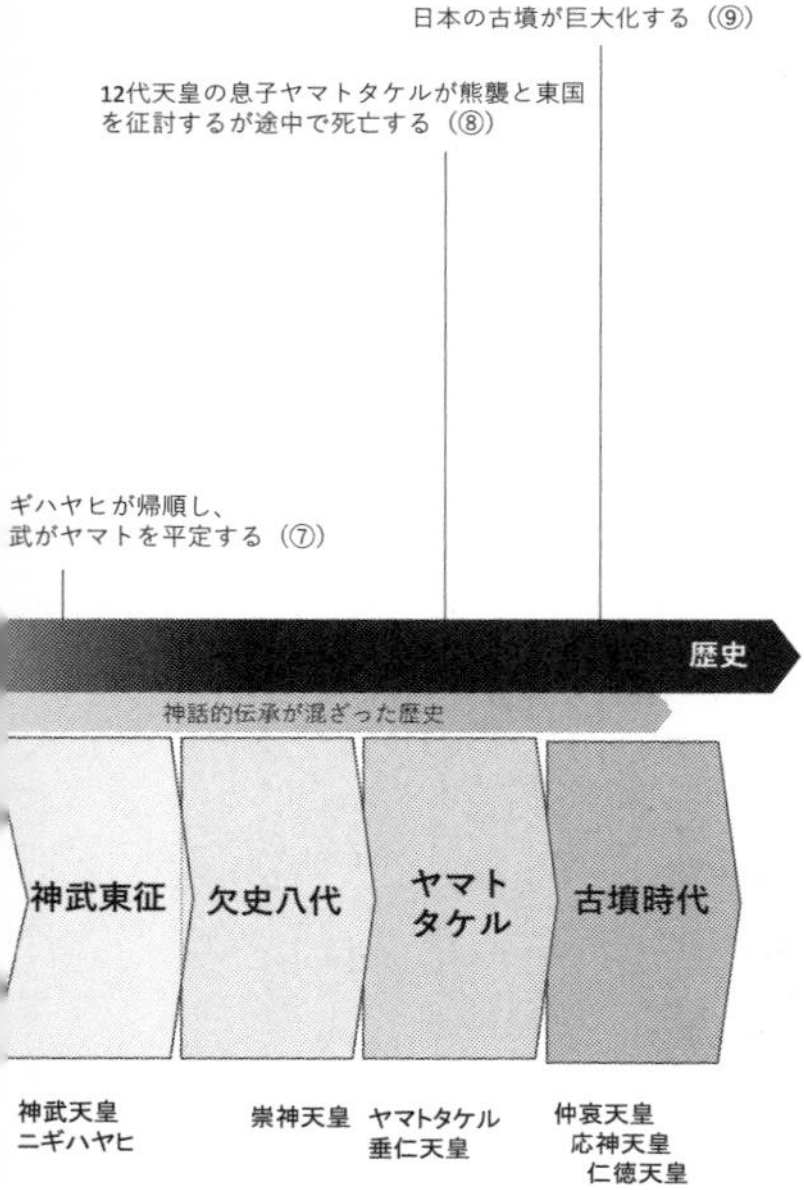

日本神話の構成と歴史との繋がり

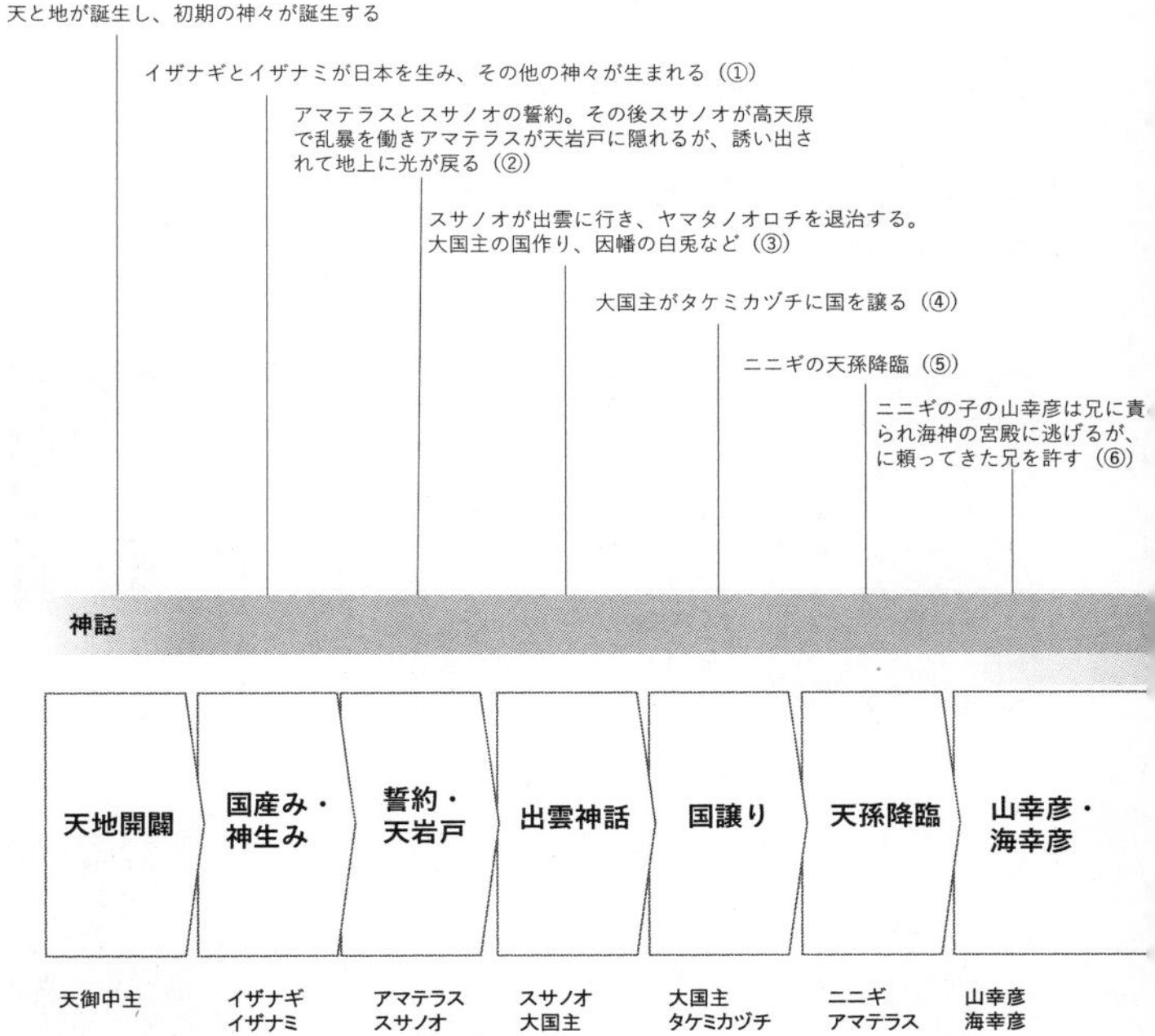
天と地が誕生し、初期の神々が誕生する
イザナギとイザナミが日本を生み、その他の神々が生まれる（①）
アマテラスとスサノオの誓約。その後スサノオが高天原で乱暴を働きアマテラスが天岩戸に隠れるが、誘い出されて地上に光が戻る（②）
スサノオが出雲に行き、ヤマタノオロチを退治する。大国主の国作り、因幡の白兎など（③）
大国主がタケミカヅチに国を譲る（④）
ニニギの天孫降臨（⑤）
ニニギの子の山幸彦は兄に責られ海神の宮殿に逃げるが、に頼ってきた兄を許す（⑥）
神話
天地開闢
国産み・神生み
誓約・天岩戸
出雲神話
国譲り
天孫降臨
山幸彦・海幸彦
天御中主
イザナギ
イザナミ
アマテラス
スサノオ
スサノオ
大国主
大国主
タケミカヅチ
ニニギ
アマテラス
山幸彦
海幸彦

①

②

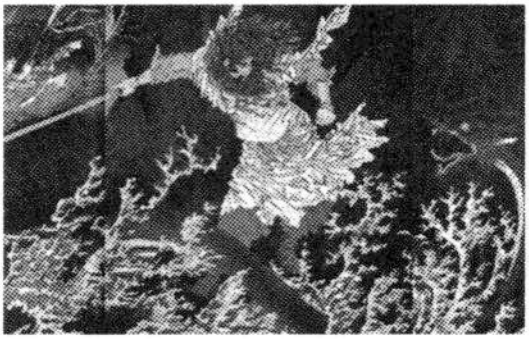
③

④

⑤

⑥画:持田大輔

⑦

⑧

⑨

「この七枚の絵を俯瞰的に見るとバランスが悪い――絵的に。この左下の部分の余白が変だ。何かが隠されている――」

賢司が咄嗟に反応した。

「さっきのキーホルダーのUVライトを当ててみよう」

ナオミがカーテンを閉めて部屋を暗くする。賢司は一枚目の絵の空欄に光を当てた。

やっぱり！

余白だった場所に、不気味な青白い文字が浮かび上がっていた。ナオミが驚きながらいった。

「ヘブライ語ね。いま訳すわ。ええと――。『両者とも、急きょ計画が変更され、自分が民族の父祖になった。美しい妹の父にお願いされた醜い姉との結婚を嫌い、末の子が兄にいじめられ他国に出て行くが、その後、力をつけ、あとで兄を赦《ゆる》す』――」

確かにそうだわ。ヤコブはエサウの代わりにイスラエル人の父祖になり、ニニギはオシホミミの代わりに日本の父祖になった。結婚にはどちらも姉妹がでてくる――美人の妹ラケルと醜い姉のレアに、美人の妹コノハナサクヤヒメと醜い姉のイワナガヒメ。その末子ヨセフは兄にいじめられてエジプトに行き、そのあと宰相の地位までのぼり詰めるけど、同じように山幸彦《やまさちひこ》と呼ばれていた末子ホホデミも、兄にいじめられて海神の国に逃げ、そのあと力をつける。そして最後は、どちらものちに頼ってきた兄を許す」

本当か？　と、賢司は黙ったままのたりと首を傾げる。

海神ワタツミの宮殿へ行った山幸彦（＝ホホデミ）

エサウの代わりに祝福を受けるヤコブ

兄海幸彦を許す山幸彦（＝ホホデミ）
画:持田大輔

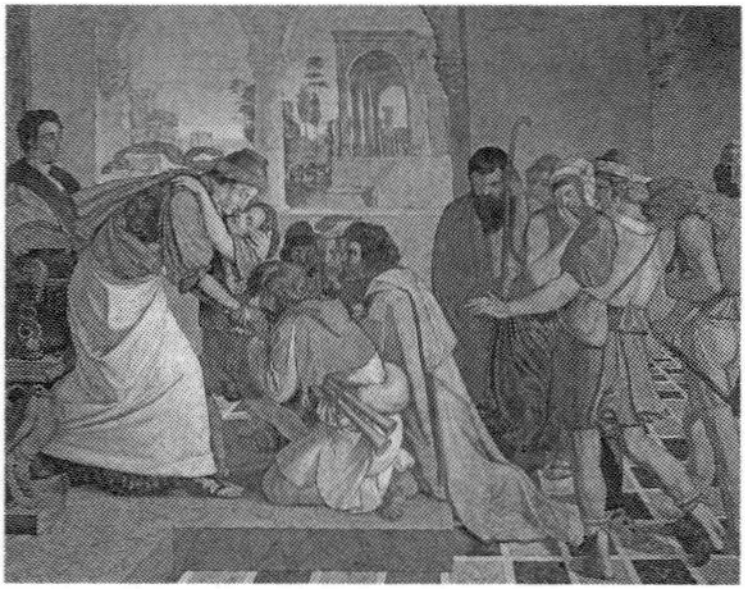

エジプトで兄たちを許すヨセフ

みんなも同じような表情だ。ナオミは続けた。

「二つ目のウガヤフキアエズの説明文は、『四人の子供が生まれたが、二番目と三番目は別のところに行っていなくなってしまう。四番目の息子が約束の地を征服して王家となる』」

賢司の鼻からどうとも理解できるような呻き声が洩れると、

「確か、カナンを征服したヨシュアはエフライムの四番目の子の家系。二番目と三番目は早死にする。その後エフライムの家系が、北イスラエル王国の王家となった――」とこぼした。

「ええ、ウガヤフキアエズにも四人の子がいて、二番目、三番目が消息不明になるわ。四番目の子がヤマトを征服した神武天皇で、その家系が天皇家となる――」

みんな呆気にとられていた。

「ちょっと待って」

ナオミはそういいながらUVライトを家系図に当てると、イスラエル人の名前の下に、日本の神の名前が現れた。デービッドが、驚きが滲んだ声色でいう。

「こうして見ると、エフライムとウガヤフキアエズの系図はそっくりですね」

ラケル（美しい妹）
コノハヤサクヤヒメ（美しい妹）

ヤコブ（予定が変更され、イスラエル人の祖に）
ニニギ（予定が変更され、日本人の祖に）

レア（醜い姉）
イワナガヒメ（醜い姉）

兄たちのイジメ ---→

ヨセフ（遠地に行き結婚し、後に兄を赦す）
山幸彦（遠地に行き結婚し、後に兄を赦す）

アセナテ（エジプト人⇔異人種）
トヨタマヒメ（海神⇔天津神でも国津神でもない）

エフラエム
ウガヤフキアエズ

シュデラフ
イツセ

エゼル（早死）
イナヒ（常世の国へ行き、その後不明）

エルアデ（早死）
ミケヌ（海原へ行き、その後不明）

ベリア（第四子）
神武（第四子）

約束の地を征服

愛媛の古社、大山祇神社で行われる相撲のルーツといわれる一人相撲の神事。ヤコブの天使との格闘がルーツという説がある（画像提供:共同通信社）

ヤコブは天使と格闘して勝ち、イスラエルと名乗りイスラエル人の父祖となった

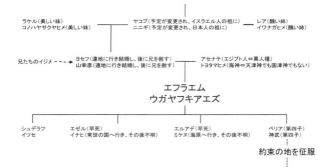

古代日本の中興の祖 崇神天皇

古代イスラエルの名君ダビデ王

「これは似ているんじゃなくて、同じ系図だよ」

イラージが冷めた口調で返すと、ナオミはさらに硬い口調で三枚目の説明文を読み始めた。

「『どちらも即位前に三年間の飢饉《ききん》があり、人口が大幅に減少した。人口調査ののち責任を感じ、神へお祈りを捧げる。ペリシテ人を破り国家を平定したダビデと、各地に四道将軍を送り国家を安定させた崇神天皇。エドムとイドミでの戦い』確かに、ダビデも崇神天皇もそう。それにダビデはエドムで戦い、崇神が戦ったのは発音の似ているイドミ——。

次の四枚目のエホデとヤマトタケルは、『どちらも民族的な英雄の一人。短剣を身に隠し敵地の王のもとに忍び寄り、周りに人がいなくなったときに王を刺し殺したあと、敵を平定する。その後、両者は農作物を奪いにきた敵と戦う——その敵の名は、エブス人と夷《エビス》』」

さすがにみんなの呻き声が部屋中を埋めた。ナ

女装して忍び込み、宴たけなわの頃にクマソタケル（熊襲建）を斬るヤマトタケル（日本武尊）

オミは緊張した面持ちで続ける。

「五枚目のソロモン王と垂仁《すいにん》天皇――『両者は聖地に神を祀る場所を初めて建てた。その場の名はイウスと伊勢。武器を神に捧げる習わしをつくり、灌漑《かんがい》用の池を沢山つくり、穀倉を建てたほか、神からの御神託を受け、神の道を奉ずれば命は長らえると伝えられる』」

「確かにすごいな――」

デービッドが困惑気味にいうと、賢司も不自然な数の類似点を認めざるを得なかった。

「六枚目のサウル王と仲哀天皇は、『両者とも容姿端麗で身丈は人一倍高かったと伝わり、両者とも神託に従わなかったために矢に撃たれ崩御《ほうぎょ》する。その敵の名はケモシュと熊襲《クマソ》。埋葬の地は、アナトテと穴門《アナト》』——。あと私、いつもチュウアイは、サウルのヘブライ語読みのシャウルに似ていると思っていたのよね」

「やはり、偶然ではちょっとあり得ないよ」

またデービッドがしみじみと洩らした。

ソロモン王

垂仁天皇

長身で容姿端麗だった仲哀天皇

するとナオミは、最後の文章をしばらく読んで説明した。

「七枚目の大化の改新の説明文曰く、『〝大化の改新〟のTAIKAとは、ヘブライ語で〝希望〟の意味。大化の改新によって新政府が新しい時代を宣言したのは七月のはじめであるが、七月のはじめはユダヤ人にとっても新年の元日である。また、七月十四日には伝統的な捧げ物をするために使者を派遣したと記されているが、ユダヤの風習でも、七月十四日は神への捧げ物を用意する日である。さらには、大化時代で施行されたことは冠位制度以外では中国的な要素はあまりなく、トーラーにあるヘブライの律法と驚くほど似ており、とりわけ申《しん》命記《めいき》にある律法の体系と酷似している』——驚きではないですか？」

トーラーとは、モーゼ五書ともいわれる旧約聖書の最初の五書、創世記《そうせいき》、出《しゅつ》エジプト記、レビ記、民数記《みんすうき》、申命記のことで、ユダヤ教では最も重要な書であった。

「確率論的に考えても、単なる偶然としてはちょっと多すぎる——」

イラージがそう洩らしたときだった。賢司がナオミを見上げると、閉まっていたはずの後ろのキッチンドアが半分ほど開いている。そこから誰かが手をこちらのほうに伸ばし、何か黒いものを向けていた。

銃だ！　と思った瞬間、一人が叫んだ。

「フリーズ！」

内通者

はち切れそうな緊迫感が、日本ユダヤ教団の応接室を一挙に押し包んだ。

キッチンから出てきたのは、さっきの二人の手伝いの女だった。

「えっ？　な、なに？　フィリピン人のあなたたちがどうして？」

上ずったナオミの声に一人が怒声をかぶせた。

「おとなしく両手を上げろ！」

その勢いと激しい惑乱に身がすくむ。みんなキョロキョロしながら動けない——。

女はしまいにしびれを切らして、天井に向けて引き金を引いた。

乾いた銃声が二回轟く。賢司の頭上を銃弾が貫いた。

キャーッ、というナオミの黄色い悲鳴。場の緊張が瞬く間に恐怖に変わった。

しかし、すぐさまヘラー氏が興奮を押し殺すような声でいった。

「落ち着いて、落ち着いて。私たちは何も抵抗しない——」

女の目を見つめながらゆっくり両手を上げると、みんなを見回しながら頷いた。

恐る恐る手を上げる五人――。

今度は、その女が賢司に銃口を向けた。

「絵を全部袋のなかに戻すのよ！」

「ＯＫ」

返事をしながら、賢司はテーブル一面の絵を一つに集め拾い上げる。スローモーションのようにコン、コンと机上で端を揃えて封筒に戻した。

「それをこちらに渡しなさい！」

その金切り声を無視するように、賢司は落ち着いた顔で袋を差し出しながら、「プリーズ」と静かにいう。確かめるような僅かな沈黙があったが、女は賢司を見つめながらきいたことのない言語で何かをがなり立て始めた。

すると、背後の女がいきなり賢司に詰め寄って袋をもぎ取り、入ってきたキッチンのドアから脱兎《だっと》のごとく走り去って行った。

「みんな、あのドアのほうに行きなさい！」

残った女が部屋の奥にある重厚な鉄のドアを鋭くアゴで指した。

伸ばしきった両腕を敏捷《びんしょう》に水平移動させ、凄まじい威圧感で一人ひとり狙いをつける。

何をすべきか躊躇うような時間が流れていった。

ヘラー氏が鎮めるような視線で頭を傾け、従うように合図した。

「ナオミ、行きなさい。いまは従った方がいい」

銃口が突き刺さるようにナオミに向いた。ピクンと萎縮しながらナオミはハッと息を呑む――。その迫力に押しきられるように両手を上げたまま歩き出した。デービッド、王、イラージ、ヘラー氏も続き、最後は賢司だった。

女も銃を構えながらこちらに歩いてきた。背後からまた叫ぶ。

「そのドアを開けてなかに入るのよ！」

ナオミはドアを開けた。電灯のスイッチを入れ、逡巡《しゅんじゅん》した面持ちでなかを確認する。一度部屋を振り返ったが、ヘラー氏が首を縦に振るとナオミは渋々と入っていった。ほかの五人も続いて入ると、忙しなくスマートフォンをチェックし始めたイラージに向かってナオミがいった。

「この納戸は電波が届かないわ。彼女はそれを知っているのよ。でも大丈夫。近所にいるアシスタントのラビが発見してくれると思うわ」

賢司が最後に入ると、背後からドアが閉まる無慈悲な音が響いた。なかの空気が一挙に籠もったような空気に変質し、湿った臭いが不安を煽り立て始めた。

賢司は誰とも目を合わさず、ドアの傍《そば》で硬い表情のまま音を探っていると、外から鍵を選ぶ甲高い金属音が無情に反響し出した。

が、その音が鍵穴と鍵が触れる音に変わった瞬間、賢司はドアノブをひねり、渾身《こんしん》の力で肩からドアを押し開けた。

ドン、という鈍い音――。鉄の重いドアが何かに当たったような音だった。

左手で頭を押さえ、よろめく女の姿がみえた。すでに賢司は矢のように飛び出している。——間髪いれずに、賢司が右足で女の右手の銃を蹴り上げた。

銃が勢いよく天井にぶち当たる衝撃音が響く。のちに大理石の床で軽やかに転げ回る音にかわった。

女は咄嗟に頭を押さえながら銃のほうを見た。

しかし賢司は蹴った右足を踏み出して軸足にすると、そのまま振り向きざまに左足を蹴り上げた。——カックン。

籠もった骨の音だった。左足のかかとが女のアゴを見事にとらえていた。そして次の瞬間みんなが見たのは、床上で白目をむきながら大の字になる無残な女の姿だった。

「すごいわね賢司！」

やっときこえてきたナオミの声は、まだ高揚している。目は潤んでいた。

「さすが空手三段！」

そう褒めたたえたイラージも、まるでアクション映画のひとコマを目撃したような爽快感を隠せないようだった。

賢司は何もなかったように拳銃を拾うと、振り向きざまに平然といった。

「みんな、とりあえずはもう大丈夫」

そして淡々とテーブルに近寄り椅子を一つ引き出すと、紙をつまみ上げ、してやったりと口角に笑みを浮かべた。

「ほら、八枚目の紙――。机上でコンコンと揃えたとき、ほかの絵の陰で下の椅子の上に引き落としたんだけど、うまくいったね」

みんな呆然としていた。が、ヘラー氏がシビアな表情で割り込んだ。

「ここに長居すると危ない。いま警察に連絡すると、この紙も参考資料として持っていかれる可能性がある。彼女は縄で縛って、絵はイスラエル大使館で見てみましょう」

最後の絵

シナゴーグを出てちょうど三十分後、一行は千代田区二番町にある、イスラエル大使館の地下室に通された。

銀行の特大金庫のような分厚いドアと、冷たいメタリック色の壁に囲まれた部屋は、まるで要塞の作戦室のような雰囲気を醸し出している。すべてのテロ対策は抜かりなく施してあるようで、逆にそれが薄気味悪さを部屋中に振りまいていた。

背後のドアがガチャンと閉まりヘラー氏が施錠を確認すると、六人は着席せず、中央にデンと幅を利かしているクラシック調のテーブルを、無言のまま申し合わせたように取り囲んだ。

ヘラー氏がノートに挟んであった八枚目の紙を取り出し、赤褐色の光沢を発しているマホガニーの木肌の上にそっと置いた。自然と、鉄板をも射通すようなみんなの視線が集まってくる。ナオミがポケットから抜き出したUVライトをもどかしそうに当て始めた。が、何も見えない――。何も浮かび上がってこなかった。

すかさずヘラー氏が壁際のコントローラーを調節し、部屋の明かりを落とした。

ナオミはライトの位置を近づけたり、遠ざけたり、斜めからかざしたり、裏返しにしてもみたが、やはり何も見えなかった。

「几帳面な父のことですから、まったくの白紙であれば間違って汚したりしないように、ほかの白紙とまとめて置いておくはずよ。何か違う方法で隠しているんだと思います」

イラージが険しい表情のままで鋭く言いきった。

「これだけ異なる方法ということは、ここに隠された絵が最も重要な秘密だよ――」

「もしかしたら、〝あぶり出し〟では？」

問いかけたのは、いままで黙っていたヘラー氏だ。

「実は、去年ラビ・コーヘンと籠神社《このじんじゃ》に行った帰りに寄った甲賀の忍者村で、ラビ・コーヘンが教えてもらっていたことを思い出しまして」

そういってヘラー氏は早速室外に電話をすると、書記官が持ってきたロウソクに火をつけ、そっとその紙をかざした。

間もなく、ポートレートのような男性の上半身の姿が湧き上がるように現れた。薄墨で縁取られた墨版一色の版画のようだが、彫りの深い面長の顔、口元とアゴを覆ういかめしいヒゲ、耳元に品良く垂れ下がるミズラ、首飾りのなかで存在を主張するいくつかの曲玉《まがたま》がクッキリと描かれている。

「これだけ日本人かな。誰だろう?」

とデービッドが呟いたときだった。

「ちょっと待って、その下に小さな字が書いてあるわ」

ナオミがそう叫びながら頭を近づけた。

確かに、男の絵の下に、同じ薄墨で書かれた小さな二行の文字列が浮かび上がっていた。

一斉に、みんながつんのめるように身を乗り出した——。

女の調査

その頃、イスラエル大使館員マーク・シルファンが運転する車は、首都高環状線から渋谷線に入っていった。

ハンドルに埋め込まれたハンズフリー電話で、シナゴーグのアシスタント・ラビと話していた。

「ええ、ナオミもみんなと無事に大使館にいます。ところで女はもう気がつきましたか?」

「いいえ、まだ、気を失ったままロープで縛られている状態です」

「ヘラー氏の縛り方はイスラエル軍式の特殊な縛り方なので問題ないと思いますが、何かあったらいま表示されている番号に電話してください。私の電話番号です。それと、私が到着するまで、部屋の物には一切触らないでください。調べたいことがいろいろありますので。あと五分ほどで着けると思います」

そういって電話を切ると、マークの車は高樹町《たかぎちょう》の出口を出て日赤通りに入っていった。

理由

Qmw·ymthw·a'vry·vkwa·shwmrwn·mlkwthw

KAMU YAMATO IWARE BIKO SUMERA MIKOTO

だが、ポートレートの下にあぶり出された文字列はまったく意味不明だった。

王が天井を仰いだ。

「ああ、マタ暗号か――」

「一行目は、どうやらアラム語のある文字列の音を、英語のアルファベットに置き換えたものですね。その音を日本語の五十音のローマ字で表すとどうなるかというのが、二行目の文字列のようです。アラム語なら私は大学時代に研究しましたので、一行目は私が訳しましょう」

ヘラー氏は視線を据えたまましばらく考えると、メモ帳にその訳文を書きだした。


サマリアの大王、神のヘブライ民族の高尚な創設者

「サマリアの大王？　誰かしら？　聖書では北イスラエル王国の名君はイエフしかいないといっているけど、創設者ではないわ」

ナオミは困惑しきった表情だ。

サマリアとは、失われた十支族がもともといた北イスラエル王国の首都で、現在のパレスチナのヨルダン川西岸地区の北部のことであった。

名君イエフ王

厳密にいえばユダヤ人という民族が生まれたのは、新バビロニアに捕囚《ほしゅう》された南ユダ王国の人々が、解放され帰還したのちユダ王国を建国してからのことである。ユダ王国をつくった人たちは、南ユダ王国が崩壊させられた理由は自分たちの背教にあると反省し、以前にも増して屈強なユダヤ教の信仰体系をつくった。

ユダヤ人とは、正確にはそのユダヤ教を信じるユダ王国の国民とその子孫を指す言葉であり、その時々でヘブライ人であったり、イスラエル人であったり、サマリア人であったり、ユダヤ人であったりと使い分けるのが正しい使い方であった。

デービッドはタブレットをリュックから取り出すと、何かをブラウザーの検索欄にいそいそと打ち始めた。

「じゃ、俺が、このローマ字、ネットで検索してみるか」

リターン・キーに勢いよく叩くように触れた。が——。

次の瞬間、日本語ができるデービッドとナオミの時間だけが凍りついた——。

「……何てこった……」

やっとデービッドが、声にならないような声を洩らした。

ナオミも自分にいいきかせるように、力の入りきらない声で吐露した。

「もしかしたら父は……、このために殺害されたのかも知れないわ……」

（下巻に続く）

本書は、二〇二〇年十月に廣済堂出版より刊行された同名書を加筆修正し、文庫化したものです。

画像提供　PIXTA（P42右, 61, 131, 166, 170上, 185, 207, 213, 214右下, 215上, 224, 227, 229上, 231, 235, 245下）
iStock（P25, 29, 102, 127上, 128, 129下, 144, 181右下, 203下, 246上, 270, 272, 274）

宝島社
文庫

アマテラスの暗号（上）

（あまてらすのあんごう じょう）

2024年３月13日　第１刷発行
2024年11月20日　第10刷発行

著　者　伊勢谷 武
発行人　関川 誠
発行所　株式会社 宝島社
〒102-8388　東京都千代田区一番町25番地
電話：営業 03(3234)4621／編集 03(3239)0599
https://tkj.jp

印刷・製本　中央精版印刷株式会社

Printed in Japan
First published 2020 by Kosaido Publishing, Inc.
ISBN 978-4-299-04985-8

『このミステリーがすごい!』大賞 シリーズ

宝島社文庫

大江戸妖怪の七不思議
桜咲准教授の災害伝承講義

久真瀬敏也

東京・深川でどんな傷も治す、河童の秘薬を受け継ぐ薬局の一人娘が呪われたという。秘薬と呪いの正体とは？ 関東大震災時に多摩川近くの井戸から聞こえた小豆を研ぐような音とは？ 地名や伝承から、その土地の災害を予測する「災害伝承」研究の第一人者、桜咲竜司が謎を突き止める！

定価 840円（税込）

「ひと駅ストーリー」「10分間ミステリー」シリーズから
身の毛もよだつ"怖い話"だけを厳選収録!
宝島社文庫
5分で凍る!
ぞっとする怖い話
『このミステリーがすごい!』編集部 編
怨恨、殺人、幽霊、愛憎、伝奇……
1話5分の超ショート・ストーリー傑作選
人気作家が大集合!
『このミス』大賞作家
乾 緑郎
柚月裕子
中山七里
桂 修司
伽古屋圭市
式田ティエン
佐藤青南
拓未 司
高山聖史
矢樹 純
堀内公太郎
新藤卓広
水原秀策
上甲宣之
山下貴光
日ラブ&エンタメ大賞作家
奈良美那
武田綾乃
『このラノ』大賞作家
藤八 景
深沢 仁
島津緒繰
定価 715円(税込)
全26話収録!
イラスト/456
「このミステリーがすごい!」大賞は、宝島社の主催する文学賞です(登録第4300532号)
好評発売中!

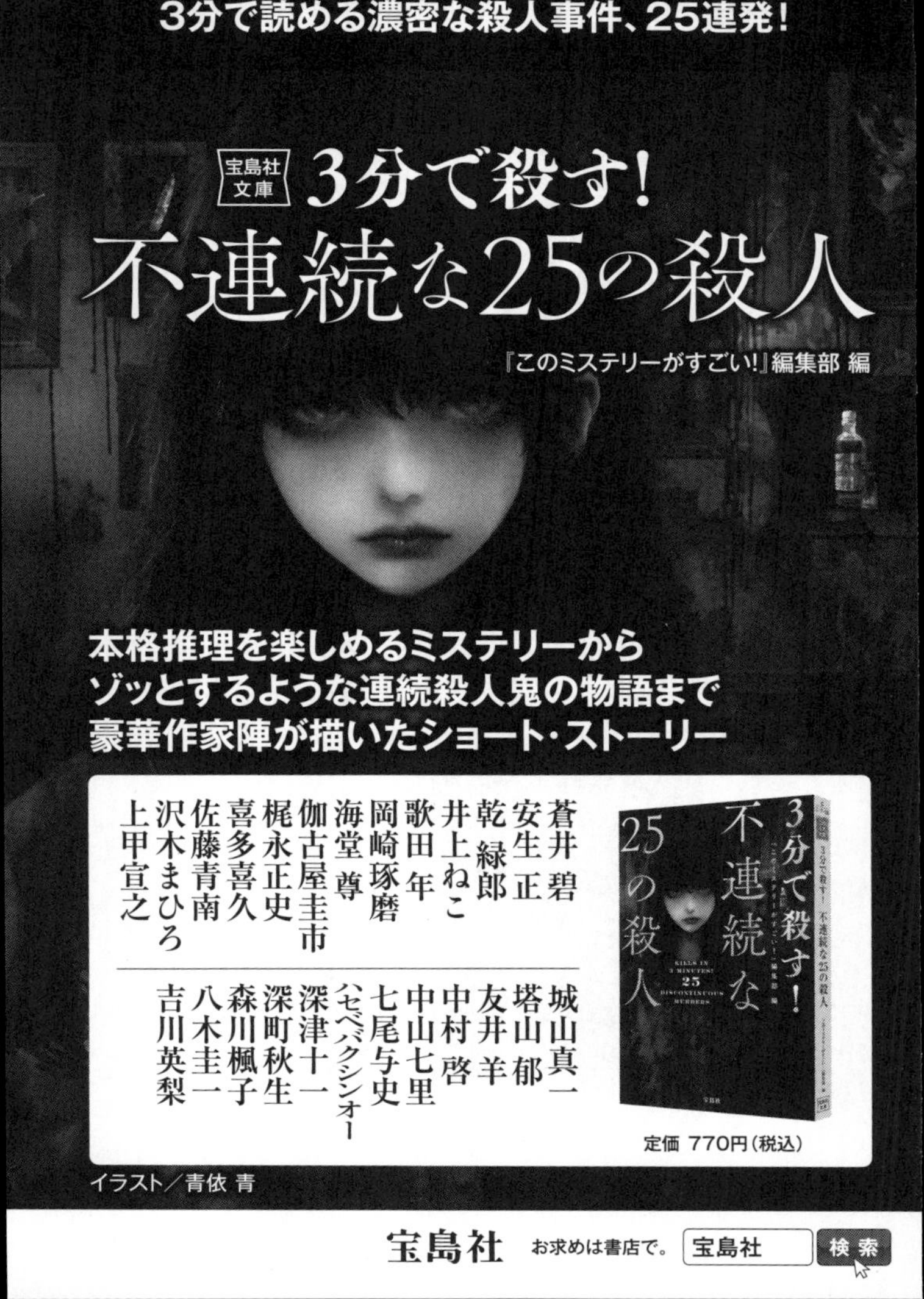
3分で読める濃密な殺人事件、25連発！
宝島社文庫
3分で殺す！
不連続な25の殺人
『このミステリーがすごい！』編集部 編
本格推理を楽しめるミステリーから
ゾッとするような連続殺人鬼の物語まで
豪華作家陣が描いたショート・ストーリー
蒼井碧
安生正
乾緑郎
井上ねこ
歌田年
岡崎琢磨
海堂尊
伽古屋圭市
梶永正史
喜多喜久
佐藤青南
沢木まひろ
上甲宣之
城山真一
塔山郁
友井羊
中村啓
中山七里
七尾与史
ハセベバクシンオー
深津十一
深町秋生
森川楓子
八木圭一
吉川英梨
定価 770円（税込）
イラスト／青依 青
宝島社
お求めは書店で。
宝島社
検索

『このミステリーがすごい!』大賞 シリーズ

《第22回 大賞》

ファラオの密室

紀元前1300年代後半、古代エジプト。死んでミイラにされた神官のセティは、欠けた心臓を取り戻すために3日の期限付きで地上に舞い戻った。自分が死んだ事件の捜査を進めるなか、先王のミイラが密室から忽然と消える事件が起こり——!? 浪漫に満ちた、空前絶後の本格ミステリー。

定価 1650円(税込)[四六判]

白川《しらかわ》尚史《なおふみ》